中国志怪

[战国] 佚名

——— 著

何中夏

——— 注释

山海经

浙江文艺出版社
Zhejiang Literature & Art Publishing House

白泽

凤栖梧桐

精卫填海

九尾

女媧

青龙

鱼妇

出版说明

　　《山海经》是中国先秦古籍，其在中国传统文化经典中有着重要的地位，是一部融合了地理、历史、民族、宗教、矿产、医药等多学科的著作。若说"连世界都没有观过，就没有世界观"的话，从此书中，无疑是能够窥见中国古人之世界观的，因为《山海经》从一定意义上来说，就是古人观世界的记录。这本书对于研究中国古代的社会历史文化有重要的作用，同时，它也对如今仙侠、玄幻等题材的电影、小说里虚拟世界的整体架构有着很大的影响。

　　关于《山海经》，不论是其归类还是作者和成书年代，都没有确切的定论。

　　在归类上，因其内容涉及的面向广，先后被归分到不同的类别中：《汉书·艺文志》归其为形法类；东汉班固则将之列入术数类；而刘歆则认为《山海经》是一部地理博物著作；西晋的郭璞认为它是一部可信的地理文献，《隋书·经籍志》《旧唐书·经籍志》《新唐书·艺文志》及王尧臣《崇文总目》也皆将其列入史部地理类书；《宋史·艺文志》又将其划分到史部的五行类；至明代，胡应麟认为《山海经》为"古今语怪之祖"，始将该书列为"语怪"之书；清代的《四库全书总目提要》则认为它是"小说之最古者"，将之列入子部的小说家类；到了近代，鲁迅的《中国小说史略》把它归为"古之巫书"。统而观之，《山海经》之杂，似乎很难有什么确定的归类。

至于这本书的作者和成书年代，旧传为夏代初期，夏禹、伯益所作；近人蒙文通先生则认为《山经》为古巴人所编，《海经》为古蜀人所辑；而袁珂先生却断定《山海经》的作者是战国初年或中年的楚国或楚地人。

其实说起来，西汉刘歆曾经明确地说："《山海经》者，出于唐虞之际……禹别九州，任土作贡，而益等类物善恶，著《山海经》。皆圣贤之遗事，古文之著明者也。"这是一封上书给汉哀帝的表奏，其出现舛误实要冒杀头之罪，按理应当可信。但有学者认为，夏禹、伯益其时，在传说体系里，仓颉虽已造字，但并没有足够的文物证明文字的普及，所以，《山海经》的流传很可能经历了"口头文学"的形式，最终将"口头"落为文字的"著者"，大约就如蒙文通先生或袁珂先生所说，是古巴蜀人或战国时期的楚人。

通过典籍，我们能够知道，有一本《山海经》，屈原读过、老庄读过、吕不韦读过、秦始皇读过，到司马迁，他甚至还发出了"至《禹本纪》《山海经》所有怪物，余不敢言也"的感慨。

需要注意的是，经过千百年的流传，"那一本"《山海经》究竟是不是如今我们能够看到的这本，未有定论。

我们今天所能看到的最早的版本是由西汉刘秀（即刘歆）校订，东晋郭璞作注的。《山海经》原是有图的，郭璞曾作有《山海经图赞》，后来赞存图佚，后人依赞另作新图。东晋以后《山海经》的研究相对沉寂，至明、清复盛，重要的著作有明代杨慎的《山海经补注》、王崇庆的《山海经释义》，清代汪绂的《山海经存》、吴任臣的《山海经广注》、毕沅的《山海经新校正》、郝懿行的《山海经笺疏》等。其中，郝懿行的《山海经笺疏》博采众家之长，成一家之说，为后世研究者不可不读之作。到了现代，研究者中成就最大的当数袁珂先生。他作有《山海经校注》《山海经校释》《山海经全译》等。其中《山海经校注》一书，在广泛吸收古今研究成果的基础上，又有诸多创获，实为《山海经》研究的集大成之作。

总之，对于《山海经》的阅读，每个人可以有不同的解读方法，或学术性研究，或知识性参考，或趣味性发现，或开拓式发散，诸如此类。每一种阅读，都有其独有的魅力。所有的阅读，都是发现与众不同之美的手段；于《山海经》而言，每翻一页，便是越过了中国古代的一片河山，一片风土，一片中华文明之美……

现在我社奉献给读者的这个校注本，以还读楼校刊本郝懿行《山海经笺疏》为底本，博采各家之长，注释力求简明扼要，地名不详者未一一指出，注音主要依据《现代汉语词典》，书中插图均选自清代吴任臣的《山海经广注》。舛误不当之处，敬请读者批评指正。

浙江文艺出版社

2023年5月

导读

怪物是如何炼成的？

一

《南山经》之首曰䧿山。其首曰招摇之山，临于西海之上，多桂，多金、玉。有草焉，其状如韭而青华，其名曰祝馀，食之不饥。有木焉，其状如穀而黑理，其华四照，其名曰迷榖，佩之不迷。有兽焉，其状如禺而白耳，伏行人走，其名曰狌狌，食之善走。丽麖之水出焉，而西流注于海。其中多育沛，佩之无瘕疾。

又东三百里，曰堂庭之山，多棪木，多白猿，多水玉，多黄金。

又东三百八十里，曰猨翼之山。其中多怪兽，水多怪鱼，多白玉，多蝮虫，多怪蛇，多怪木，不可以上。

这是两千多年前的一位旅行者所写调查报告中开头的几段。这位在群山中跋涉的旅行者，沿着预先设计的路线行进，他可能是穿行于山间谷地的古老交通线，也可能是沿河谷溪流循水而行。他每到一山，就记下这一座山相对于他经过的上一座山的方位和里程，随后他会记下他对这座山植被、水土的总体观察，如：山上长什么树？生什么草？是草木茂盛，还是童山濯濯？山上是否有水源？是否有河流流出？这些河流最终流向哪里？他还记下这些山上生活着什么样的野兽、鸟类，水中有什么样的鱼类和两栖类动物，他甚至记下了对山上草木鸟兽这类生物形态的细致观察：那些树或草长什么样的叶？开什么样的花？结什么样的果？生什么样的种子？那些飞禽、走兽、爬虫、游鱼长得什么样子，它们的头部、面目、躯体、四肢、尾巴、皮毛分别长得什么样子？叫声是怎样的？习性是怎样的？对人有无伤害？这显然是一位既有耐心又很细心的观察者。如果说这些关于生物形态的客观性知识都可以通过观察得到，那么这些草木鸟兽虫鱼叫什么名字，以及吃了这些草木的果实、鸟兽的肉或佩戴这些鸟兽的皮毛能治什么病，对身体有什么样的好处或坏处，诸如此类的知识却不是靠一时半霎的观察就能得到的，这位旅行者必定还走访了原住民，如山间的樵夫或打猎、采药的山民，方才获得这些地方性知识。他不仅关心山林溪流中的活物，也对山中的矿藏有着浓厚的兴趣，他记下了很多山中、河流中蕴藏的矿物，比如金、银、铜、铁、玉石、丹砂、雄黄、雌黄、硫黄、矾石以及各种各样质地细腻、纹理美观的岩石。这位旅行者将他沿途观察所得和访求所得的地理信息、博物知识，以山为纲，分门别类，表其名，写其形，记其用，一一记录在案，编纂成册，成为最早的一部基于实地考察的地理博物志，经过两千多年的岁月荡涤，这部书居然几乎完好无损地保存了下来，这就是我们今天看到的《五藏山经》。

我们今天看到的《山经》，分为《南山经》《西山经》《北山经》《东山经》《中山经》五篇，每一篇又按照山的不同走向、序列分为数个山次，《南山经》《北山经》各三次，《西山经》《东山经》各四次，《中山经》十二次，每一山次的山数从数座到数十座不等，各次按照特定的走向依次记录每一座山的方位里程和自然物产。比如，开头引的这几段就见于全书第一篇，即《南次一经》的开头，据此不难看出全书的内容和体例的大概。

招摇之山位列全书之首，具有起例发凡的作用，因此记录比较完备：首先说明此山的位置，"临于西海之上"。其次说明此山物产的基本情况，"多桂，多金、玉"。再次详细描述了此山特有的几种物产：有一种草，叶似韭，开青花，名曰祝馀，吃了可以耐饥；有一种树，名曰迷榖，叶状似榖树，其实就是榖树的一种，榖树又名构树、楮术，古人用其皮造纸，至今在山间田畔仍常见，因为此树开花如绒球一般，细小的花瓣四出如光芒四射，故书中说"其华四照"；"有兽焉，其状如禺而白耳，伏行人走，其名曰狌狌"，这当然就是动物园中常见的猩猩。猩猩长臂长腿，行走如风，故古人相信"食之善走"，吃了猩猩肉，变成"飞毛腿"。这座山上还发源一条溪流，名叫"丽麐之水"，溪流西流，注于西海，水中产一种东西叫"育沛"，大概是一种矿物，将它佩戴在身上，肚子里不长虫子（"无瘕疾"）。

《山经》全书，记录山峰四百多座，大小河流数十条，行程数万里，记录草木、鸟兽、鱼蛇数百种，金石矿产十数种，详细描述了其产地、性状、习性、效用的草、木、鸟、兽、鱼各有数十种。如此大规模的山川博物志不可能是出自一个人之手，而必定是一个有着严密组织、精心筹划的学术团队集体劳动的成果。全书记山川脉络清晰，载物产具体翔实，行文平铺直叙，状物绘声绘色，通篇体例严谨，条理分明，虽众物纷纭繁杂，但记述有条不紊，分明是一份经过周密计划、基于实地考察、以资源利用为指归的国家地理物产调查报告。

二

然而，如果说《山经》是一部实录山川物产的自然博物志，其中何以又会充斥着众多非牛非马、人面兽身、九头九尾之类怪诞离奇，显然非世间所实有的怪物呢？

比如开头引的《南山经》段落后接下来的几座山中，就出现了数种怪兽：枢山之鯥，鱼类而陵居，其状如牛，蛇尾有翼，身生羽毛，一身而兼具鱼、牛、蛇、鸟之形体；亶爰之山的类，自为牝牡，一身而兼具雌雄两体；基山之猼訑，九尾四耳；䳢鹏三首六目、六足三翼；青丘之兽，如狐而九尾而食人；英水之鱼，鱼身而人面，声如鸳鸯。虽说大千世界无奇不有，但走兽只有一条尾巴两只耳朵，飞鸟只有两个翅膀，水中的鱼也不可能生着人的面孔，至于一身兼具雌雄双体，甚至一身兼具鱼类、兽类、鸟类、爬行类的形体，则更不可能。如此这般的奇鸟、怪兽和异鱼，似乎不可能是自然界所实有，只能是出自想象和虚构。如此说来，《山经》分明就是白日梦般的臆说怪谈，与其视之为自然博物志，不如归之于志怪、小说之列更实至名归。因此，在一般人的心目中，《山经》就成了一部妖兽录、怪物谱。

实际上，这些乍看之下荒诞离奇的记载，只有在古代博物学的语境中才能得到恰如其分的解释。

《山经》中出现的"怪物"，大概可以分为两种类型：一类是非牛非马、人面兽身、一身兼具众体的复合类动物；一类是一兽多尾、一鸟多翼、肢体冗余（或欠缺）的畸形动物。前者可称为"复合兽"，后者可称为"畸形兽"。

一身兼具众兽之体的"复合兽"，在《山经》中最为常见，上述"其状如牛，蛇尾有翼，身生羽毛"的鲑，就是典型的复合兽，我们不妨多看几种，就不难看出这类"怪物"的来历：

玄龟：其状如龟而鸟首虺尾，其名曰旋龟，其音如判木，佩之不聋，可以为底。

鴸：有鸟焉，其状如鸱而人手，其音如痹，其名曰鴸，其名自号也，见则其县多放士。

猾褢：有兽焉，其状如人而彘鬣，穴居而冬蛰，其名曰猾褢，其音如斫木，见则县有大繇。

蠱：有兽焉，其状如虎而牛尾，其音如吠犬，其名曰蠱，是食人。

蛊雕：水有兽焉，名曰蛊雕，其状如雕而有角，其音如婴儿之音，是食人。

鲑鱼：黑水出焉……其中有鲑鱼，其状如鲋而彘毛，其音如豚，见则天下大旱。

（以上俱见《南山经》）

此类复合兽，可以柢山上的"鲑"为典型："有鱼焉，其状如牛，陵居，蛇尾，有翼，其羽在鮭下，其音如留牛，其名曰鲑，冬死而夏生。"它明明是鱼，却身形如牛，长着蛇的尾巴、鸟的翅膀，肋（鮭）下生羽，世上安有这般一身兼具飞鸟、走兽、游鱼、爬行类动物的特征，完全违背动物分类学规律的怪物？此鱼不仅长相怪，习性更怪：明明是鱼，却居于山陵，不仅如此，此鱼在冬天死去，到了夏天又会复活。它不仅跨越了动物分类的边界，而且还超越了空间（水与陆）和时间（生与死）的秩序，反常则为怪，无法纳入现成秩序的事物就是怪物，此物可谓集怪物之大全。此等与自然秩序背道而驰、格格不入的怪物，似乎不可能存在于现实中，而只能是凭空捏造的产物。

实际上，此物世人常见，它不是别的，就是穿山甲。《尔雅翼·释兽》云："鲮鲤，四足似鼍而短小，状如獭，遍身鳞甲，居土穴中。盖兽之类，非鱼之属也，特其鳞色若鲤，故谓之鲮鲤，又谓之鲮豸。野人又谓之穿山甲，以其尾大能穿穴故也。"《本草纲目》卷四十三云："鲮鲤……其形肖鲤，穴陵而居，故曰鲮鲤，而俗称为穿山甲。郭璞赋谓之龙鲤。"《山经》谓鲑"其音如留牛"，"鲑"音六（郭璞注），盖即得名于其叫声，"鲮鲤""龙鲤""鲮豸"诸名，皆为"鲑"一音之变。《山经》关于鲑的"怪异"记述，皆可在穿山甲身上找到印证：穿山甲体形与牛相去甚远，但其身大头小，且背部隆起，却与牛的体形有几分相似；尾巴修长，故谓之蛇尾；鳞片重叠、周身披甲，有似鸟翼；鳞片间生有硬毛，身体两侧硬毛尤多，故谓之鲑下生羽；周身生鳞似鱼，且可入水，故谓之鱼；穿山甲冬眠，故谓之"冬死而夏生"。因穿山甲善打洞、食虫蚁，古人顺势按医学思维，相信食其肉可以"通经脉，下乳汁，消痈肿，排脓血，通窍杀虫"（《本草纲目》），穿山甲至今仍是一味常见中药，以至于导致穿山甲濒临灭绝，《山经》为"食之无肿疾"，正是出于同一思路，可见后世本草医学与《山经》一脉相承。

在上古时期博物学尚不发达、尚未建立一套共度性的博物学术语，更没有博物绘画术和照相术的条件下，要记录一种动物的形态，最方便

鲑

鳞腹蚖
其羽在
姑山

［图一 鲑］

7

可行的办法就是借世所常见的动物对之进行比方形容，告诉人们它的脑袋像啥，面孔像啥，四肢尾巴像啥，等等。于是就"捏造"出形形色色的由不同动物的形体组合而成的异形"怪物"，实际上，至今人们仍是如此这般地描述陌生动物。如果明白了这个道理，也就不难看穿《山经》中种种"怪物"原本平凡的真面目。

但若不明白这个道理，再加上望文生义，少见多怪，就难免把这些记载中的生物看成怪物，而《山海经》也就变成了怪物之书。在坊间流行的各种《山海经》图谱，上述动物都被画成了怪物。比如鲮，亦即穿山甲，在画手们的笔下，就变成牛首鱼身、身生双翼的怪物。（如图一）

三

另一类怪物，即躯体增生或残缺的"畸形兽"，诸如一身九尾之狐、一身六翼之鸟，或者只有三条腿、一只眼的兽之类，其来历则另当别论。此类怪物在《山经》中也较为多见，如《东山经》所载：

从从：有兽焉，其状如犬，六足，其名曰从从，其鸣自詨。

珠蟞鱼：澧水出焉，东流注于余泽。其中多珠蟞鱼，其状如肺而有目六足，有珠，其味酸甘，食之无疠。

蠪姪：有兽焉，其状如狐而九尾、九首、虎爪，名曰蠪姪，其音如婴儿，是食人。

峳峳：有兽焉，其状如马而羊目、四角、牛尾，其音如獋狗，其名曰峳峳，见则其国多狡客。

鲐鲐鱼：深泽，其中……有鱼焉，其状如鲤，而六足鸟尾，名曰鲐鲐之鱼，其名自叫。

蜚：有兽焉，其状如牛而白首，一目而蛇尾，其名曰蜚，行水则竭，行草则死，见则天下大疫。

走兽四足，飞鸟双翼，鱼蛇无足，牛羊双角，不管什么动物，都只有一个脑袋、一条尾巴，而《山经》中却记载了大量的多足、多翼、多尾、多目、多角或少足、少目的动物，委实令人费解，无怪乎世人把它们当成怪物。

《山经》既为纪实的博物志，其所记载之物，不管如何怪异，亦当为实有之物。诸如此类的记载究竟为何种动物，诚难以考见，但其原为普通的动物当可断定。古代没有动物园，更没有自然博物馆、标本陈列室，能让动物学家或公众就近仔细观察动物的长相。野兽飞鸟隐于密林茂草、深山幽谷，出没无常，行踪诡秘，人们往往唯闻其声不见其形，即使偶尔目睹其形，也无法细致观察，因此难以准确描述其形态、长相。加之野兽出没，往往给人带来恐惧，因此人们在描述其形象时难免不夹杂想象和夸张的成分。《大戴礼记》云："平原大薮，瞻其草之高丰茂者，必有怪鸟兽居之；……高山多林，必有怪虎豹蓄孕焉；深渊大川，必有蛟龙焉。"茂草大薮、高山深林、深渊大川，原本就神秘莫测，因神秘而对出没于其中的鸟兽生出种种不切实际的幻想。《山经》成书时代的博物学家，对于草木植物不难通过细致观察以记录其形态，而对于行踪不定的飞禽走兽，则大概只能依据当地人的口述和传闻，因此其关于野生动物的记录就必然羼杂种种偏差和错误，失真在所难免。

正因为鸟兽出没无常，难以详观细察，往往只闻其声不见其形，因此，古人对鸟兽的认识和观察，往往是从声音开始的。《山经》关于动物的记述，常说明其音如何，就体现出古人对于动物声音的关注，如鹿蜀"其音如谣"、旋龟"其音如判木"（劈木头）、鲑"其音如留牛"、九尾狐"其音如婴儿"、灌灌"其音若呵"、赤鱬"其音如鸳鸯"、貍力"其音如狗吠"、长右"其音如吟"、猾褢"其音如斫木"、蛊雕"其音如婴儿"，等等。因为熟知动物的声音，故古人顺理成章地就会根据叫声辨识动物并为之命名，《山经》中记录鸟兽的名称，常附以"其鸣自号""其名自号""其鸣自呼""其鸣自叫""其名自詨"之句，所谓自呼其名，即表示此动物的名称即得自其鸣叫之声，如鴸"其名自号也"、瞿如"其鸣自号也"、毕方"其鸣自叫也"、孟极"其鸣自呼"、幽鴳"其鸣自呼"、精卫"其鸣自詨"、从从"其鸣自詨"、犰狳"其鸣自叫"、朱獳"其鸣自训"、鲐鲐鱼"其名自叫"、精精"其鸣自叫"、鸰鹊"其鸣自呼"、狪狪"其名自训"，皆属此类。实际上，我们今天使用的动物名称，很多都是源于对其声音的拟声词。《山经》中诸如此类的记载，既是不可多得的语言发生学史料，也有助于我们了解古人博物知识的发生学。这些记载说明，与我们今天的认识主要依靠形象和视觉认识和命名自然事物不同，古人对世间万物的认识，更倚重于声音和听觉。对于他们而言，自然不仅是可以观看的，更是可以聆听的，风声、雨声、草木之声、生灵之声，洋洋乎充盈于天地和山川之间，此起彼伏，各具腔调，一片天籁。古人在对飞禽走兽的形态缺乏有效观察的情况下，正是依靠声音，对其进行辨识和命名，将自然生灵纳入人类的语言秩序和意义世界。

　　不过，我们也不可低估古人对事物形象的观察能力和了解程度，而轻易地将《山经》中不合乎自身常识的记载皆归之于古人的无知妄诞，因为这其中也许蕴含着古人真切的博物学观察呢。例如上引澧水之中的珠蟞鱼，"其状如肺而有目六足，有珠，其味酸甘，食之无疠"。乍看之

珠鳖

【图二　珠鳖鱼】

下，无疑胡说，世界上哪有长四只眼、六只脚的鱼？在前人画的珠鳖鱼图中，就把它画成了一条头长四只眼、身体两侧各生三足的怪鱼（如图二）。然而，《山经》既然称"其味酸甘，食之无疠"，可见古人确实吃过这种东西。"珠鳖"，《吕氏春秋·本味》引作"朱鳖"，郭璞《江赋》引作"赪鳖"，《南越志》云："海中多朱鳖，状如肺，有四眼六脚而吐珠。"（《初学记》卷八引）亦作"朱鳖"，可见"珠鳖"当作"朱鳖"，"朱"盖言其色，误"朱"为"珠"，当涉下文"有珠"而讹。《山经》关于珠鳖鱼的记载，很容易让人联想到一种至今犹见于闽浙沿海及南海而被称为"古生物化石"的甲壳类水生物，即鲎。《本草纲目》云："鲎，状如熨斗之形，广尺余，其甲莹滑，青黑色，鳖背骨眼，眼在背上，口在腹下，头如蜣螂，十二足，似蟹，在腹两旁，长五六尺，尾长一二尺，有三棱如棕茎，背上有骨如角，高七八寸，如石珊瑚状，每过海，相负示

11

背，乘风而游，俗呼鲎帆。"鲎之为物，有壳似鳖，故《山经》以"鳖"名之；鲎壳赪赤，故称"朱鳖"；其身体由两节组成，无论是从造型还是颜色，都很像肺叶，故《山经》谓之"如肺"；鲎有十足，《山经》谓之"六足"，虽不中亦不远。《山经》谓朱鳖"有（四）目"，鲎确实是"四眼"，其头胸甲两侧有一对大复眼，每只眼睛是由若干个小眼睛组成，在其头胸甲前端还有两只小眼睛，只用来感知亮度。可见，《山经》的记载虽然简单，却很能抓住鲎的特点，可见古人察物之精细，《山经》之非妄作。鲎可食，具药用，《本草纲目》引孟诜称"治痔，杀虫"，《山经》谓"食之无疬"，"疬"即"癞"，谓恶疮之类的皮肤病，可见后世本草犹保存了《山经》的古老知识。

古人靠山吃山，靠水吃水，他们在采集、料理鸟兽虫鱼的同时，必然获得了丰富的博物知识，最初的博物知识与其说是源于眼睛和博物馆，不如说是源于"舌尖"和厨房。古人对于自然万物的知识，都是在长期的生产生活实践中日积月累而成的，这些知识原本只在民间靠言传身教而世代相传，时过境迁则风吹云散，只有极少的一部分能被记录下来并流传后世。历史上，像《山经》这样一部系统记载民众自然知识的博物志，可谓绝无仅有、难能可贵，现今的人类学、民俗学靠所谓"田野研究"所获得的"地方性知识"或"传统知识"，与《山经》之洋洋大观比起来，实为小巫见大巫。

四

《山经》的荒山野水之中，除了时时闪现怪异鸟兽的魅影之外，还有山灵水怪偶尔出没，这些形象怪异、出没无常的神怪，也让《山经》其

12

书笼罩了一种神秘的氛围，让人怀疑其真实性，并进而否认其地理博物志的价值。尤其是每篇之末的结语，除总计该篇所记总山数和总里程外，还记载了该篇所记群山的山神，如《南次一经》的结语云：

> 凡䧿山之首，自招摇之山，以至箕尾之山，凡十山，二千九百五十里。其神状皆鸟身而龙首，其祠之礼：毛用一璋玉瘗，糈用稌米，一璧，稻米，白菅为席。

综观《山经》全书，尽管各篇山神形象各异，或鸟身龙首，或人面蛇身，或马身人面，或彘身蛇尾，祭品、祭器和仪式的品类和数量不同，但其记述体例却如出一辙。《山经》每一篇所记，少则数山，多则数十山，少则绵延数百里，多则绵延数千里甚至上万里，却均由一神统领。如此地域辽阔、纲纪严明的山神祭祀制度，显然不可能是自发性的地方性崇拜，而只能是出自制度性的安排，或者正是主持《山经》的知识团体所筹划的国家性山神祭典，在《山经》时代，这一祭典要真正落到实处并不容易，大概只是停留在纸面上的规划。至于这一山神祭典的用意，与其说在于拜神，而毋宁说更在于通过设立山神祭祀，达到对山川资源的经略和占有的目的，其经济和地理方面的战略意义更重于宗教和民俗的意义。《礼记·祭法》云："山林川谷丘陵，民所取材用也。"山川物产资源为百姓生活之所仰、国家财用之所出，所以需要对之进行管理和看守。《周礼·地官》记载山虞"掌山林之政令，物为之厉而为之守禁。……若祭山林，则为主而修除，且跸"。山虞就是守护山林资源并负责山神祭祀的山长。山虞之外，《周礼》中还记载有负责管理森林资源的林衡（林务官）、管理川泽资源的川衡（河长）和泽虞（湖长），以及专门负责管理某类山川物产的官司，如负责看守"金玉锡石之地"的卝人（矿长）、向山泽之农征收"齿角骨物"的角人、征收鸟类羽毛的羽人，等等。《左传·昭公二十年》载晏子批评齐景公不顾百姓疾苦，垄断山川资源，"山林之木，衡鹿守之，泽之萑蒲，舟鲛守之，薮之薪蒸，虞候守之，海之盐蜃，祈望守之"，可见《周礼》中所定制度虽属儒者的制度安排，但绝非空穴来风，而是有春秋、战国时期的现实制度为依托的。齐国尤其重视山川自然资源的开发，《管子》书中屡屡论及山林薮泽的开发利用，并主张国家借山神祭祀对山林资源进行垄断。《地数》篇云："苟山之见其荣（矿脉）者，君谨封而祭之。距封十里而为一坛，是则使乘者下行，行者趋，若犯令者罪死不赦。"《国准》篇云："立祈祥以固山泽。"设祭于山，借以宣示国家对山川资源的占有权，同时，封山为神，将山林宣布为神圣之地、禁忌之域，增加其神秘感，令百姓敬而远之。可见，上古时代，山神祭祀制度与山林资源开发相伴而生。明乎此，不仅可知《山经》诸山次之神祀的渊源，于《山经》其书的性质和来历亦知过半矣。

鲁迅《中国小说史略》因见《山海经》"记海内外、山川神祇异物及祭祀所宜"，且"所载祠神之物多用糈（精米），与巫术合"，遂断定其为"古之巫书"。以鲁迅先生之崇高地位，此说极大地影响了现代学者对《山海经》其书的认知，它在使《山海经》被神话学、宗教学和民俗学倍加推崇之同时，却大大贬低了其地理学价值。实则，祭祀虽为巫师者流之能事，但如《山经》所记载般大规模、系统化的山神祭祀制度，却非巫师方士所能为，而只能出自国家权力的宏观筹划和统一经略，其目的不在祀神祷鬼，而在封殖山川、经营国土，山神祭祀制度的背后所反映的是国家的权力。可见，《山经》的山神祭祀制度，与其说证明其为"古之巫书"，不如说恰恰证明了其为先秦国家经略山川的地理博物之书。

　　总之，《山经》中虽充斥着大量的恢诡、神异的记载，怪鸟异兽游荡，山神水灵出没，但这一切都不妨碍它成其为一部山川地理博物志，这些怪异记载，非但不足以贬低其作为地理博物志的价值，反而证明了其这一价值。世人眼里的《山经》怪物，并非怪物，它们既不是已经灭绝的洪荒怪兽，也不是作者无中生有的恣意捏造，它们是曾经存在于这个世界上、或许今天仍然生活在这个世界上的平凡之物。它们之所以变成怪物，只是因为在我们和古人之间横亘着漫长的岁月，让我们已经无法理解古人原本朴素的博物学话语，无法再用像他们一样的眼光看待世间万物。山川依旧，山川中的草木鸟兽依旧，记录这些草木鸟兽的古书依旧，但是人类的精神世界却已经发生了巨变，因此在我们的眼里，《山经》这本书才会呈现出来一个面目全非的世界。归根到底，怪物既非产生于造物主的"恶作剧"，也非产生于古人的精神世界或"原始思维"，而是产生于文化、语言和知识传统的断裂。在漫长的文明史中，在不断堆积的简册书卷中，在茂密深邃的符号丛林中，这种文化的裂缝无处不在。正是这些无所不在、纵横交错的文化裂缝，才是各种"文化误解"的滋生之地，也是形形色色"怪物"的隐身之处。

刘宗迪

目录

山海经

附

录

山海经

| # 南山经①

【狌狌】

《南山经》之首曰䧿山②。其首曰招摇之山，临于西海之上，多桂，多金、玉。有草焉，其状如韭而青华③，其名曰祝馀，食之不饥。有木焉，其状如穀而黑理④，其华四照⑤，其名曰迷穀，佩之不迷⑥。有兽焉，其状如禺而白耳⑦，伏行人走⑧，其名曰狌狌⑨，食之善走。丽𪊨之水出焉⑩，而西流注于海。其中多育沛⑪，佩之无瘕疾⑫。

---

① 《南山经》为《山海经》的首经，这一经又分三部分，分记南方三列山系诸山的名称、物产和发源于诸山的河流，并对三列山系的山神形状及祭祀时的礼仪做了介绍。

② 䧿（què）山：《文选》《太平广记》引作"鹊山"。䧿，古鹊字。

③ 华：同"花"。

④ 穀（gǔ），当作"穀"，为一种树木，又名构树，即今日俗称的楮（chǔ）树。黑理，黑色纹理。

⑤ 华：光辉。

⑥ 佩，指佩戴迷穀之枝叶；迷，指迷路。

⑦ 禺（yù）：传说中之兽名，形如大型猕猴，头似鬼，赤目长尾。

⑧ 伏行人走：既能匍匐行进，亦能两足奔走。

⑨ 狌狌（xīng xīng）：即猩猩。

⑩ 𪊨：音jǐ。

⑪ 育沛：水生生物，具体不详。

⑫ 瘕（jiǎ）疾：腹中结块的病症，多发于妇女。

又东三百里，曰堂庭之山①。多棪木②，多白猿，多水玉③，多黄金。

【鹿蜀】

又东三百八十里，曰猨翼之山④。其中多怪兽，水多怪鱼，多白玉，多蝮虫⑤，多怪蛇，多怪木，不可以上。

又东三百七十里，曰杻阳之山⑥。其阳多赤金⑦，其阴多白金⑧。有兽焉，其状如马而白首，其文如虎而赤尾⑨，其音如谣⑩，其名曰鹿蜀，佩之宜子孙⑪。怪水出焉，而东流注于宪翼之水。其中多玄龟，其状如龟而鸟首虺尾⑫，其名曰旋龟，其音

【旋龟】

---

① 堂庭之山：《文选》引作"常庭之山"。

② 棪（yǎn）：树木名。果实呈赤色，似柰（nài），柰即中国古代土生苹果之一种。

③ 水玉：水晶，古亦作"水精"。

④ 猨（yuán）翼之山：《初学记》引作"稷翼之山"，《一切经音义》引作"即翼之山"。猨，同"猿"。

⑤ 蝮（fù）虫：一名反鼻虫，大者百余斤，有带状纹理，鼻上有针。

⑥ 杻：音niǔ。

⑦ 阳：指山之南面。

⑧ 阴：指山之北面。

⑨ 文：花纹。

⑩ 谣：歌声。

⑪ 宜子孙：谓佩戴其皮毛有利于子孙繁衍。

⑫ 虺（huǐ）：毒蛇。

如判木①，佩之不聋，可以为底②。

又东三百里柢山③。多水，无草木。有鱼焉，其状如牛，陵居④，蛇尾，有翼，其羽在鲏下⑤，其音如留牛⑥，其名曰鲑⑦，冬死而夏生⑧，食之无肿疾⑨。

【鲑鱼】

又东四百里，曰亶爰之山⑩。多水，无草木，不可以上。有兽焉，其状如狸而有髦⑪，其名曰类，自为牝牡⑫，食者不妒。

【类】

又东三百里，曰基山。其阳多玉，其阴多怪木⑬。有兽焉，其状如

① 判木：破木，将木头劈碎。

② 可以为（wéi）底：可用来治足茧。为，医治。底，通"胝"，足茧。

③ 多本"柢"上有一"曰"字。柢，音dǐ。

④ 陵居：住在山上。

⑤ 鲏（xié）：鱼的肋部。

⑥ 留牛：神话兽名，具体不详。

⑦ 鲑：音lù。

⑧ 冬死而夏生：谓冬眠夏苏。

⑨ 肿疾：疮。

⑩ 亶：音chán。

⑪ 狸：同"狸"，山猫。髦：哺乳动物颈部之毛；一作"发"。

⑫ 自为牝（pìn）牡：雌雄同体。

⑬ 《太平御览》引此文在"怪木"之上有"多金"二字。

羊，九尾四耳，其目在背，其名曰猼訑①，佩之不畏②。有鸟焉，其状如鸡而三首、六目、六足、三翼，其名曰鹝𪇀③，食之无卧④。

【猼訑】

【鹝𪇀】

又东三百里，曰青丘之山。其阳多玉，其阴多青䨼⑤。有兽焉，其状如狐而九尾，其音如婴儿，能食人，食之不蛊⑥。有鸟焉，其状如鸠，其音若呵⑦，名曰灌灌⑧，佩之不惑⑨。英水出焉，南流注于即翼之泽⑩。其中多赤鱬⑪，其状如鱼而人面，其音如鸳鸯，食之不疥⑫。

【九尾狐】

---

① 猼訑：音 bó yí。

② 不畏：不知畏惧。

③ 鹝𪇀（chǎng fū）：当作"鷩（biē）𪇀"。

④ 无卧：谓少眠。

⑤ 青䨼（hù）："䨼"当作"䩄（huò）"，一种青色矿物颜料。

⑥ 不蛊（gǔ）：一说谓不逢妖邪之气，一说谓不受蛊毒侵袭。

⑦ 呵：呵斥声。

⑧ 灌灌：一作"濩濩"，形状不详，肉以美味著称。

⑨ 不惑：不受迷惑。

⑩ 上文"猨翼之山"又作"即翼之山"，与此正对应。

⑪ 鱬：音 rú。

⑫ 不疥：不生疥疮。

又东三百五十里，曰箕尾之山①。其尾踆于东海②，多沙石。汸水出焉③，而南流注于淯④，其中多白玉。

【赤鱬】

凡䧿山之首，自招摇之山，以至箕尾之山，凡十山，二千九百五十里。其神状皆鸟身而龙首⑤。其祠之礼⑥：毛用一璋玉瘗⑦，糈用稌米⑧，一璧，稻米⑨，白菅为席⑩。

【鴸】

《南次二经》之首，曰柜山⑪。西临流黄⑫，北望诸毗⑬，东望长右⑭。英水出焉，西南流注

---

① 箕尾之山：《玉篇》作"箕山"，无"尾"字。

② 踆（cūn）：通"蹲"，谓临于东海。

③ 汸：音fāng。

④ 淯：音yù。

⑤ 鸟身：《北堂书钞》引作"人身"。

⑥ 祠：祭祀。

⑦ 毛，谓祭神使用的有毛动物，如猪、羊、鸡等；璋，一种玉器；瘗，谓埋。此句意即祭神所用有毛动物，要与璋玉同埋。

⑧ 糈（xǔ）：祭神用的精米。稌（tú）：稻。

⑨ "一璧稻米"在文中突兀难通，清代学者汪绂怀疑此四字乃衍文。

⑩ 菅（jiān）：一种茅草。

⑪ 柜：音jǔ。

⑫ 流黄：国名。《海内西经》记有流黄酆氏国，《海内经》记有流黄辛氏国。

⑬ 诸毗（pí）：山名，亦水名。

⑭ 长右：山名。

于赤水，其中多白玉，多丹粟①。有兽焉，其状如豚，有距②，其音如狗吠，其名曰狸力，见则其县多土功③。有鸟焉，其状如鸱而人手④，其音如痹⑤，其名曰鴸⑥，其名自号也⑦，见则其县多放士⑧。

【长右】

东南四百五十里，曰长右之山。无草木，多水。有兽焉，其状如禺而四耳，其名长右，其音如吟⑨，见则郡县大水。

【猾褢】

又东三百四十里，曰尧光之山⑩。其阳多玉，其阴多金⑪。有兽焉，其状如人而彘鬣⑫，

---

① 丹粟：如小米般细碎的丹砂。

② 距：禽类爪子后面突出似脚趾的部分。

③ 见（xiàn）：通"现"，出现。土功：指治水、筑城等工程。

④ 鸱（chī）：鹞鹰。人手：谓其足像人的手。

⑤ 痹（pí）：鸟名。一般认为指雌性鹌鹑。

⑥ 鴸：音zhū。

⑦ 其名自号：谓其叫声似在自呼其名。

⑧ 放士：被放逐之士。

⑨ 吟：呻吟。

⑩ 尧光之山：《太平御览》引作"克光之山"。

⑪ 金：《太平御览》引作"铁"。

⑫ 彘鬣（zhì liè）：谓长着类似猪鬃的毛。彘，猪。鬣，指某些动物颈上的长毛。

穴居而冬蛰①，其名曰猾褢②，其音如斫木，见则县有大繇③。

又东三百五十里，曰羽山④。其下多水，其上多雨，无草木，多蝮虫。

又东三百七十里，曰瞿父之山。无草木，多金、玉。

又东四百里，曰句馀之山⑤。无草木，多金、玉。

又东五百里，曰浮玉之山。北望具区⑥，东望诸毗⑦。有兽焉，其状如虎而牛尾，其音如吠犬，其名曰彘，是食人。苕水出于其阴，北流注于具区，其中多鮆鱼⑧。

又东五百里，曰成山。四方而三坛⑨，其上多金、玉，其下多青

---

① 冬蛰：冬眠。

② 褢：音 huái。

③ 繇（yáo）：通"徭"，徭役。

④ 羽山：可参看《海内经》"鲧窃息壤"条。至于舜杀鲧之羽山所在，历来所传非一，或曰在今江苏东海县西北，或曰在今山东郯城县东北。

⑤ 句（gōu）馀之山：在余姚县南、句章县北，故此得名。

⑥ 具区：太湖的古称。

⑦ 诸毗：上文是山名，此处是水名。

⑧ 鮆（jì）鱼：一种外形似刀的鱼。

⑨ 三坛：谓山形似土坛多层重叠。

膆。阆水出焉①，而南流注于虖勺②，其中多黄金。

又东五百里，曰会稽之山③。四方，其上多金、玉，其下多砆石④。勺水出焉，而南流注于湨⑤。

又东五百里，曰夷山。无草木，多沙石。湨水出焉⑥，而南流注于列涂。

又东五百里，曰仆勾之山⑦。其上多金、玉，其下多草木，无鸟兽，无水。

又东五百里，曰咸阴之山。无草木，无水。

又东四百里，曰洵山⑧。其阳多金，其阴多玉。有兽焉，其状如羊而无口，不可杀也⑨，其名曰㺢⑩。洵水出焉，而南流注于阏之泽⑪，其

① 阆：音dū，一作阇（音shǐ）水。
② "虖（hū）勺"之上或有"西"字，"勺"或作"多"。
③ 会（kuài）稽之山：指今浙江绍兴东南的禹陵。
④ 砆（fū）石：一种白色纹理的红色美石，似玉。
⑤ 湨：音jú。
⑥ 湨：一作"浿"。
⑦ 仆勾之山：一作"仆夕之山"。
⑧ 洵山：一作"旬山"。
⑨ 不可杀：谓无口不能进食，却不死。
⑩ 㺢：huàn，《玉篇》称其秉受自然之气，故"不可杀"。
⑪ 阏：音è。

中多茈蠃①。

又东四百里，曰虖勺之山。其上多梓、楠②，其下多荆、杞③。滂水出焉④，而东流注于海。

【羬】

又东五百里，曰区吴之山。无草木，多沙石。鹿水出焉，而南流注于滂水。

又东五百里，曰鹿吴之山。上无草木，多金石。泽更之水出焉，而南流注于滂水。水有兽焉⑤，名曰蛊雕⑥，其状如雕而有角，其音如婴儿之音，是食人。

【蛊雕】

东五百里，曰漆吴之山。无草木，多博石⑦，无玉。处于东海⑧，望五山，其光载出载入⑨，是惟日次⑩。

---

① 茈（pí或bì）蠃：当作"茈（zǐ）蠃"，意为紫色螺。茈，通"紫"。蠃，通"螺"。

② 梓（zǐ）、楠：两种乔木。

③ 荆、杞（qǐ）：两种野生灌木。

④ 滂：音pāng。

⑤ "水"为衍字。

⑥ 蛊雕：一作"纂雕"。

⑦ 博石：可作棋具的石头。

⑧ "处于"之上疑有脱文。东海：一作"海东"，则"东"字当属下句。

⑨ "其光"句：谓神光忽明忽暗。

⑩ 日次：太阳停息之处。次，止息之所。

凡《南次二经》之首，自柜山至于漆吴之山，凡十七山，七千二百里。其神状皆龙身而鸟首。其祠：毛用一璧瘗，糈用稌。

《南次三经》之首，曰天虞之山。其下多水，不可以上。

东五百里，曰祷过之山。其上多金、玉，其下多犀、兕①，多象。有鸟焉，其状如鸡而白首、三足、人面②，其名曰瞿如，其鸣自号也。泿水出焉③，而南流注于海。其中有虎蛟④，其状鱼身而蛇尾，其音如鸳鸯⑤，食者不肿，可以已痔⑥。

【瞿如】

又东五百里，曰丹穴之山。其上多金、玉。丹水出焉，而南流注于渤海。有鸟焉，其状如鸡⑦，五采而文⑧，名曰凤皇，首文曰德，翼文曰义，背文曰礼，膺文曰仁⑨，腹文曰信。是鸟也，饮食自然，见则天下安宁。

---

① 兕（sì）：一种近似犀牛的野兽。

② 𪆫（xiāo）：似野鸭而小的一种水鸟，足部靠近尾部。

③ 泿：音 yín。

④ 蛟：传说中似龙而无角的动物。

⑤ 音：当作"首"。

⑥ 已：治疗。

⑦ 鸡：一作"鹤"，一作"鹄"。

⑧ 文：指有花纹。

⑨ 膺：胸部。

又东五百里，曰发爽之山。无草木，多白猿。汎水出焉①，而南流注于渤海。

又东四百里，至于旄山之尾，其南有谷，曰育遗②。多怪鸟，凯风自是出③。

又东四百里，至于非山之首。其上多金、玉，无水，其下多蝮虫。

又东五百里，曰阳夹之山。无草木，多水。

又东五百里，曰灌湘之山④。上多木，无草，多怪鸟，无兽。

又东五百里，曰鸡山。其上多金，其下多丹膜。黑水出焉，而南流注于海。其中有鲔鱼⑤，其状如鲋而彘毛⑥，其音如豚，见则天下大旱。

又东四百里，曰令丘之山。无草木，多火。其南有谷焉，曰中谷，

---

① 汎：音 fàn。
② 育遗：一作"育隧"。
③ 凯风：南风。
④ 灌湘之山：一作"灌湖射之山"。
⑤ 鲔：音 tuán。
⑥ 鲋（fù）：鱼名，即鲫鱼。毛：《太平御览》作"尾"。

条风自是出①。有鸟焉，其状如枭②，人面四目而有耳，其名曰颙③，其鸣自号也，见则天下大旱。

【颙】

又东三百七十里，曰仑者之山④。其上多金、玉，其下多青䨼。有木焉，其状如榖而赤理⑤，其汗如漆，其味如饴⑥，食者不饥，可以释劳⑦，其名曰白蓉⑧，可以血玉⑨。

又东五百八十里，曰禹稾之山⑩。多怪兽，多大蛇。

又东五百八十里，曰南禹之山。其上多金、玉，其下多水。有穴焉，水出辄入⑪，夏乃出，冬则闭。佐水出焉，而东南流注于海，有凤皇、鹓雏⑫。

---

① 条风：东北风。

② 枭（xiāo）：鸟纲鸱鸮科各种类鸟的通称。

③ 颙（yú）：一作"鹛（yú）"。

④ 仑者之山：一作"仑山"。

⑤ 榖：当作"榖"。

⑥ 饴：用麦芽制成的糖浆。

⑦ 释劳：解忧。

⑧ 蓉：音 gāo。

⑨ 血玉：染玉使之发出光彩。

⑩ 禹稾（gǎo）之山：一作"禹稾之山"。

⑪ 出：当为"春"之误。

⑫ 鹓（yuān）雏：传说中鸾凤一类的鸟。

凡《南次三经》之首，自天虞之山以至南禹之山，凡一十四山，六千五百三十里。其神皆龙身而人面。其祠：皆一白狗祈，糈用稌。

右南经之山志，大小凡四十山，万六千二百八十里。

山海经第二 | # 西山经①

《西山经》华山之首，曰钱来之山。其上多松，其下多洗石②。有兽焉，其状如羊而马尾，名曰羬羊③，其脂可以已腊④。

【羬羊】

西四十五里，曰松果之山。濩水出焉⑤，北流注于渭，其中多铜。有鸟焉，其名曰螐渠⑥，其状如山鸡，黑身赤足，可以已㾄⑦。

又西六十里，曰太华之山⑧。削成而四方⑨，其高五千仞，其广十

---

① 这一经分四个部分，分记西方四列山系诸山的名称、物产和发源于诸山的河流，并介绍了四列山系的山神形状及祭祀时的礼仪。

② 洗石：含碱之石，洗澡时可用。

③ 羬：音qián，疑即尾部多脂可食的"大尾羊"。

④ 腊（xī）：皮肤皴裂。

⑤ 濩水：当作"灌水"。

⑥ 螐：音tóng。

⑦ 㾄（báo）：皮肤皱起。

⑧ 太华之山：华山主峰，在今陕西华阴南。

⑨ 削成：谓山似刀斧砍削而成。

里，鸟兽莫居。有蛇焉，名曰肥螼①，六足四翼，见则天下大旱。

【肥螼】

又西八十里，曰小华之山②。其木多荆、杞，其兽多㸲牛③，其阴多磬石④，其阳多㻬琈之玉⑤。鸟多赤鷩⑥，可以御火⑦。其草有萆荔⑧，状如乌韭⑨，而生于石上，亦缘木而生，食之已心痛。

【葱聋】

又西八十里，曰符禺之山。其阳多铜，其阴多铁。其上有木焉，名曰文茎，其实如枣，可以已聋。其草多条，其状如葵而赤华黄实⑩，如婴儿舌，食之使人不惑。符禺之水出焉，而北流注于渭。其兽多葱聋，其状如羊而赤鬣。其鸟多鴖⑪，其状如翠而赤

---

① 肥螼（wèi）：一作"肥遗"。

② 小华之山：即少华山，在今陕西华县东南。

③ 㸲（zuó）牛：一种野牛，重可达千斤。

④ 磬（qìng）石：一种可以制磬的美石。磬，一种打击乐器。

⑤ 㻬琈（tū fú）之玉：一种玉石。

⑥ 赤鷩（biē）：山鸡的一种。

⑦ 御火：防避火灾。

⑧ 萆（bì）荔：即薜荔，也称木莲。

⑨ 乌韭：一种苔藓类植物。

⑩ 葵：冬葵。

⑪ 鴖（mín）：一作"鹋（mín）"。

喙①，可以御火。

又西六十里，曰石脆之山②。其木多棕、楠，其草多条，其状如韭而白华黑实③，食之已疥。其阳多琈琈之玉，其阴多铜。灌水出焉，而北流注于禺水，其中有流赭④，以涂牛马无病⑤。

又西七十里，曰英山。其上多杻、橿⑥，其阴多铁，其阳多赤金。禺水出焉，北流注于招水⑦，其中多鲜鱼⑧，其状如鳖，其音如羊。其阳多箭、䉋⑨，其兽多㸲牛、羬羊。有鸟焉，其状如鹑⑩，黄身而赤喙，其名曰肥遗，食之已疠⑪，可以杀虫。

【鲜鱼】

又西五十二里，曰竹山。其上多乔木，其阴多铁。有草焉，其名

---

① 翠：翠鸟。

② 石脆之山：当作"石脃（cuì）之山"。"脃"为"脆"的异体字。

③ 上文亦有条草，两者同名异状。

④ 赭（zhě）：红土。

⑤ 马：一作"角"。

⑥ 杻、橿（jiāng）：两种质地坚硬之树，杻木可作弓弩，橿木可作车轮。

⑦ 招：音sháo。

⑧ 鲜：音bàng。

⑨ 箭、䉋（měi）：箭竹和䉋竹。

⑩ 鹑：鹌鹑。

⑪ 疠（lì）：麻风病。

曰黄雚[1]，其状如樗[2]，其叶如麻，白华而赤实，其状如赭[3]，浴之已疥，又可以已胕[4]。竹水出焉，北流注于渭，其阳多竹箭，多苍玉。丹水出焉，东南流注于洛水，其中多水玉，多人鱼[5]。有兽焉，其状如豚而白毛[6]，大如笄而黑端[7]，名曰豪彘[8]。

【豪彘】

又西百二十里，曰浮山。多盼木[9]，枳叶而无伤[10]，木虫居之[11]。有草焉，名曰薰草，麻叶而方茎，赤华而黑实，臭如蘼芜[12]，佩之可以已疠。

又西七十里，曰羭次之山[13]。漆水出焉，北流注于渭。其上多棫、橿[14]，其下多竹箭，其阴多赤铜，其阳多婴垣之玉[15]。有兽焉，其状如

---

① 雚：音huán。

② 樗（chū）：即臭椿树，一种落叶乔木，木材粗硬，叶可养樗蚕，根皮可供药用。

③ 赭：紫赤色。

④ 胕（fú）：浮肿病。

⑤ 人鱼：又名陵鱼、龙鱼，人面鱼身，有手足。《山海经》中多见记载。

⑥ "白毛"之下疑脱一"毛"字，属下读。

⑦ 笄（jī）：簪子。

⑧ 豪彘：豪猪。

⑨ 由于郭璞注称盼字"音美目盼兮之盼"，可知原文"盼"必误，现无法得知当为何字。

⑩ "枳叶"句：谓树叶像枳叶但不长刺。枳叶有刺，可伤人。

⑪ "木虫"句：谓树中长有寄生之虫。

⑫ 臭（xiù）：气味。蘼芜：一种香草。

⑬ 羭：音yú。

⑭ 棫（yù）：一种多刺小树。

⑮ 婴垣之玉：即下文"泑山"条所载之"婴脰之玉"。

禺而长臂，善投，其名曰朱^①。有鸟焉，其状如枭，人面而一足，曰橐蜚^②，冬见夏蛰，服之不畏雷^③。

【橐蜚】

又西百五十里，曰时山。无草木。逐水出焉^④，北流注于渭，其中多水玉。

又西百七十里，曰南山。上多丹粟。丹水出焉，北流注于渭。兽多猛豹^⑤，鸟多尸鸠^⑥。

又西百八十里，曰大时之山。上多穀、柞^⑦，下多杻、橿，阴多银，阳多白玉。涔水出焉^⑧，北流注于渭。清水出焉，南流注于汉水。

又西三百二十里，曰嶓冢之山^⑨。汉水出焉，而东南流注于沔^⑩。

---

① 朱（xiāo）：同"嚣"。

② 橐蜚：音 tuó féi。

③ "服之"句：谓穿着其毛羽所制之衣，可不怕雷声。

④ 逐水：一作"遂水"。

⑤ 猛豹：似熊而小，能食蛇，食铜铁。

⑥ 尸鸠：即布谷鸟。

⑦ 穀：当作"穀"。

⑧ 涔：音 cén。

⑨ 嶓：音 bō。

⑩ 沔：音 miǎn。

騩水出焉，北流注于汤水①。其上多桃枝、钩端②，兽多犀、兕、熊、罴③，鸟多白翰、赤鷩④。有草焉，其叶如蕙⑤，其本如橘梗⑥，黑华而不实⑦，名曰菁蓉⑧，食之使人无子。

又西三百五十里，曰天帝之山。上多棕、楠，下多菅、蕙。有兽焉，其状如狗，名曰谿边⑨，席其皮者不蛊⑩。有鸟焉，其状如鹑，黑文而赤翁⑪，名曰栎，食之已痔。有草焉，其状如葵，其臭如蘼芜，名曰杜衡，可以走马⑫，食之已瘿⑬。

西南三百八十里，曰皋涂之山⑭。蔷水出焉⑮，西流注于诸资之水；涂水出焉，南流注于集获之水。其阳多丹粟，其阴多银、黄金，其上

---

① 汤水：一作"阳水"。

② 桃枝、钩端：皆竹名。

③ 罴（pí）：熊的一种。

④ 白翰：一种白色的山鸡。

⑤ 蕙（huì）：一种香草。

⑥ 本：根部。

⑦ 不实：不结果实。

⑧ 菁：音 gū。

⑨ 谿边：一作"谷遗"。

⑩ 席其皮：拿它的皮做垫子。

⑪ 翁：颈毛。

⑫ 可以走马：一说有利于人驾驭马匹，一说可使马匹脚力更快。

⑬ 瘿（yǐng）：颈上长的瘤。

⑭ 皋涂之山：一作"鼻涂之山"。

⑮ 蔷：音 sè。

多桂木。有白石焉，其名曰礜[①]，可以毒鼠。有草焉，其状如稾茇[②]，其叶如葵而赤背，名曰无条，可以毒鼠。有兽焉，其状如鹿而白尾[③]，马脚人手而四角[④]，名曰玃如[⑤]。有鸟焉，其状如鸱而人足，名曰数斯，食之已瘿[⑥]。

【玃如】

又西百八十里，曰黄山。无草木，多竹箭。盼水出焉[⑦]，西流注于赤水，其中多玉。有兽焉，其状如牛而苍黑大目，其名曰㸙[⑧]。有鸟焉，其状如鸮[⑨]，青羽赤喙，人舌能言，名曰鹦䳇[⑩]。

又西二百里，曰翠山。其上多棕、楠，其下多竹箭，其阳多黄金、玉，其阴多旄牛、麢、麝[⑪]。其鸟多鸓[⑫]，其状如鹊，赤黑而两首四足，

---

① 礜：音yù。

② 稾茇（gǎo bá）：香草名。

③ 一本无“白尾”二字。

④ 马脚人手：谓前两足似人手，后两足似马蹄。

⑤ 玃（yīng）如：当作“玃（jué）如”。

⑥ 瘿：一作“痢”。

⑦ 盼：与上文“盼木”同属讹字。

⑧ 㸙：音mǐn，小牛。

⑨ 鸮（xiāo）：猫头鹰。

⑩ 鹦䳇（wǔ）：即鹦鹉。

⑪ 旄（máo）牛：即牦牛。麢（líng）：即羚羊。麝（shè）：香獐。似獐而小，分泌的麝香可作药。

⑫ 鸓（lěi）：当作“鸐（dié）”。

可以御火。

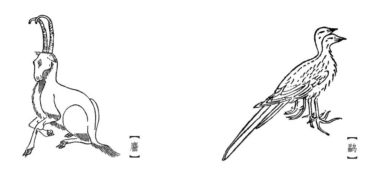

又西二百五十里，曰騩山①。是錞于西海②，无草木，多玉。淒水
出焉③，西流注于海，其中多采石、黄金④，多丹粟。

凡《西经》之首，自钱来之山至于騩山，凡十九山，二千九百五
十里。华山，冢也⑤，其祠之礼：太牢⑥。羭山，神也，祠之用烛⑦，
斋百日用百牺⑧，瘗用百瑜⑨，汤其酒百樽⑩，婴以百珪百璧⑪。其余十

---

① 騩：音guī。

② 錞（chún）：通"蹲"，蹲踞。

③ 淒水：一作"浽（suī）水"。

④ 采：同"彩"。

⑤ 冢：神之所居。

⑥ 太牢：古代祭祀时，牛、羊、猪三牲全备称为太牢。

⑦ 烛：指火炬。

⑧ 斋：斋戒。牺：古代祭祀用的纯色牲畜。

⑨ 瑜（yú）：美玉。

⑩ 汤（tàng）：同"烫"。樽：酒器。

⑪ 婴：缠绕。珪（guī）：同"圭"，上尖下方的一种长条形玉器。整句意为将大量玉器摆
　成圆圈。

七山之属，皆毛牷用一羊祠之①。烛者百草之未灰②，白席采等纯之③。

《西次二经》之首，曰钤山④。其上多铜，其下多玉，其木多杻、橿。

西二百里，曰泰冒之山⑤。其阳多金，其阴多铁。浴水出焉⑥，东流注于河，其中多藻玉⑦，多白蛇。

又西一百七十里，曰数历之山。其上多黄金，其下多银，其木多杻、橿，其鸟多鹦䳋。楚水出焉，而南流注于渭，其中多白珠。

又西北五十里高山⑧。其上多银，其下多青碧、雄黄⑨，其木多棕，其草多竹。泾水出焉，而东流注于渭，其中多磬石、青碧。

西南三百里，曰女床之山。其阳多赤铜，其阴多石涅⑩，其兽多

---

① 牷（quán）：色纯而完整的祭牲。

② "烛者"句：谓烛用百草扎成。

③ "白席"句：白席，白茅织成的席。采等，指各种颜色的花纹。纯（zhǔn），镶边。整句意为：席用白茅织成，并用不同颜色的花纹镶边。

④ 钤：音qián。

⑤ 泰冒之山：一作"秦冒之山"。

⑥ 浴水：当作"洛水"。

⑦ 藻玉：有彩色纹理的玉。

⑧ "高山"之上脱一"曰"字。

⑨ 青碧：一种青色玉石。

⑩ 石涅：即黑石脂，可作黑色染料。

虎、豹、犀、兕。有鸟焉，其状如翟而五采文①，名曰鸾鸟，见则天下安宁。

又西二百里，曰龙首之山。其阳多黄金，其阴多铁。苕水出焉，东南流注于泾水，其中多美玉。

又西二百里，曰鹿台之山。其上多白玉，其下多银，其兽多㧐牛、羬羊、白豪②。有鸟焉，其状如雄鸡而人面，名曰凫徯③，其鸣自叫也，见则有兵④。

［凫徯］

西南二百里，曰鸟危之山。其阳多磬石，其阴多檀、楮⑤，其中多女床⑥。鸟危之水出焉，西流注于赤水，其中多丹粟。

又西四百里，曰小次之山。其上多白玉，其下多赤铜。有兽焉，其状如猿而白首赤足，名曰朱厌，见则大兵⑦。

---

① 翟（dí）：一种长尾野鸡。

② 白豪：指白色的豪猪。

③ 凫徯：音fú xī。

④ 有兵：谓起战事。

⑤ 楮：即《山海经》中多次提到的榖木。

⑥ 女床：疑似草名。郝懿行认为即女肠草。

⑦ 见则大兵：又作"见则有兵""见则为兵""见则有兵起焉"。

又西三百里，曰大次之山。其阳多垩①，其阴多碧②，其兽多㸲牛、麢羊。

又西四百里，曰薰吴之山。无草木，多金、玉。

又西四百里，曰厎阳之山③。其木多㮎、楠、豫、章④，其兽多犀、兕、虎、犳、㸲牛⑤。

又西二百五十里，曰众兽之山。其上多琈玗之玉，其下多檀、楮，多黄金，其兽多犀、兕。

又西五百里，曰皇人之山。其上多金、玉，其下多青雄黄⑥。皇水出焉，西流注于赤水，其中多丹粟。

又西三百里，曰中皇之山。其上多黄金，其下多蕙、棠⑦。

又西三百五十里，曰西皇之山。其阳多金，其阴多铁，其兽多麋、

---

① 垩（è）：一种白色的土。

② 碧：一种玉。

③ 厎（zhǐ）阳之山：当作"厎（zhǐ）阳之山"。

④ 㮎（jì）：即水松，一种落叶乔木。豫：即枕（chén）木，似樟。章：即樟木。

⑤ 犳（zhuó）：一种花纹似豹之兽。

⑥ 青雄黄：青黑色而坚硬的雄黄。

⑦ 棠：一种落叶乔木。

026

鹿、牦牛①。

又西三百五十里，曰莱山。其木多檀、楮，其鸟多罗罗②，是食人。

凡《西次二经》之首，自钤山至于莱山，凡十七山，四千一百四十里。其十神者，皆人面而马身。其七神皆人面牛身，四足而一臂，操杖以行③，是为飞兽之神；其祠之：毛用少牢④，白菅为席。其十辈神者⑤，其祠之：毛一雄鸡，钤而不糈⑥，毛采⑦。

《西次三经》之首，曰崇吾之山⑧。在河之南，北望冢遂⑨，南望䍃之泽⑩，西望帝之搏兽之丘⑪，东望螞渊⑫。有木焉，员叶而白柎⑬，赤

---

① 麋（mí）：一种珍稀哺乳动物，俗称"四不像"。

② 罗罗：未详，与《海外北经》之青兽罗罗似乎并非一物。

③ 操：持。

④ 少牢：祭祀只用羊、猪，则此规格比用牛、羊、猪之"太牢"次一等，故称"少牢"。

⑤ 辈：类。

⑥ 钤（qián）而不糈：郝懿行认为"钤"字当作"祈"，意即祭祀不用米。

⑦ 采：杂色，指上文之雄鸡为杂色。

⑧ 崇吾之山：一作"崇丘之山"。

⑨ 冢遂：山名。

⑩ 䍃：音yáo。

⑪ 丘：一作"山"。

⑫ 螞：音yān。

⑬ 柎（fū）：花萼。

华而黑理，其实如枳①，食之宜子孙。有兽焉，其状如禺而文臂②，豹虎而善投③，名曰举父④。有鸟焉，其状如凫而一翼一目，相得乃飞，名曰蛮蛮⑤，见则天下大水。

【举父】

【蛮蛮】

西北三百里，曰长沙之山。泚水出焉⑥，北流注于泑水⑦，无草木，多青雄黄。

又西北三百七十里，曰不周之山⑧。北望诸毗之山，临彼岳崇之山，东望泑泽，河水所潜也⑨，其原浑浑泡泡⑩。爰有嘉果⑪，其实如桃，其叶如枣，黄华而赤柎，食之不劳。

---

① 枳（zhǐ）：一种似橘之木，亦指其果实。

② 文臂：指臂上有斑纹。

③ 虎：疑当作"尾"字。

④ 举父：一作"夸父"。

⑤ 蛮蛮：即《海外南经》所述之比翼鸟。

⑥ 泚：音 cǐ。

⑦ 泑（yōu）水：同下文所说的"泑泽"。

⑧ 周：周整。此山因形状有缺不整而得名。

⑨ 潜：潜流。

⑩ 原：同"源"。浑浑泡泡：水喷涌貌。

⑪ 嘉：同"佳"。

又西北四百二十里，曰峚山①。其上多丹木，员叶而赤茎，黄华而赤实，其味如饴，食之不饥。丹水出焉，西流注于稷泽②，其中多白玉。是有玉膏③，其原沸沸汤汤④，黄帝是食是飨。是生玄玉⑤。玉膏所出，以灌丹木。丹木五岁，五色乃清，五味乃馨⑥。黄帝乃取峚山之玉荣⑦，而投之钟山之阳。瑾瑜之玉为良，坚粟精密⑧，浊泽有而光⑨。五色发作，以和柔刚。天地鬼神，是食是飨；君子服之⑩，以御不祥。自峚山至于钟山四百六十里⑪，其间尽泽也，是多奇鸟、怪兽、奇鱼，皆异物焉。

又西北四百二十里，曰钟山。其子曰鼓⑫，其状如人面而龙身⑬，是与钦䲹杀葆江于昆仑之阳⑭，帝乃戮之钟山之东曰崼崖⑮。钦䲹化为

---

① 峚（mì）山：一作"密山"。

② 稷泽：河泽名。名称来源于后稷。

③ 玉膏：传说中一种可服用的仙药。

④ 沸沸汤汤（shāng shāng）：玉膏涌腾的样子。

⑤ 玄：黑。

⑥ 馨：散发香气。

⑦ 玉荣：玉花。

⑧ 坚粟精密：指玉之纹理坚密。"粟"，一作"栗"。

⑨ 浊泽有而光：应作"浊泽而有光"。浊，润厚。泽，一作"黑"。

⑩ 服：佩戴。

⑪ 四百六十里：下文云"四百二十里"。

⑫ 其子曰鼓：谓钟山之神的儿子名叫鼓。《海外北经》有钟山之神，名烛阴，又名烛龙，人面蛇身。

⑬ 如：当为衍字。

⑭ 钦䲹（pī）：又作"钦䲹（pī）""堪坏""钦负"。人面兽形的神。葆江：神名。一作"祖江"。

⑮ 崼崖：一作"瑶岸"。

大鹗①，其状如雕而黑文白首，赤喙而虎爪，其音如晨鹄②，见则有大兵。鼓亦化为䳊鸟③，其状如鸱，赤足而直喙，黄文而白首，其音如鹄④，见则其邑大旱。

〔鼓〕

又西百八十里，曰泰器之山。观水出焉⑤，西流注于流沙。是多文鳐鱼⑥，状如鲤鱼⑦，鱼身而鸟翼，苍文而白首赤喙，常行西海⑧，游于东海⑨，以夜飞，其音如鸾鸡⑩，其味酸甘，食之已狂，见则天下大穰⑪。

〔文鳐鱼〕

又西三百二十里，曰槐江之山。丘时之水出焉，而北流注于泑水，

---

① 鹗（è）：鱼鹰。

② 晨鹄（hú）：一种类似鹗的鸟。

③ 䳊：音jùn。

④ 鹄：即天鹅。

⑤ 观水：又作"灌水""濩水"。

⑥ 文鳐（yáo）鱼：一作"鳐鱼"。

⑦ 鱼：当为衍字。

⑧ 行：一作"从"。

⑨ 游于东海：《文选》注引"游"字上有"而"字。

⑩ 鸾鸡：鸟名。一本无"鸡"字。

⑪ 穰（ráng）：丰收。

其中多赢母①。其上多青雄黄，多藏琅玕、黄金、玉②，其阳多丹粟，其阴多采黄金、银③。实惟帝之平圃④，神英招司之⑤，其状马身而人面，虎文而鸟翼，徇于四海⑥，其音如榴⑦。南望昆仑，其光熊熊，其气魂魂⑧。西望大泽，后稷所潜也⑨，其中多玉，其阴多榣木之有若⑩。北望诸毗，槐鬼离仑居之⑪，鹰鹯之所宅也⑫。东望恒山四成⑬，有穷鬼居之，各在一搏⑭。爰有淫水⑮，其清洛洛⑯。有天神焉，其状如牛而八足、二首、马尾，

【英招】

---

① 赢（luó）母：即蜗牛。赢，通"螺"。

② 藏：一说为本义，即该山藏有琅玕、黄金；一说通"臧"，意为善，即该山有优质琅玕、黄金。琅玕（láng gān）：一种似珠玉的美石。

③ 采：谓有花纹。

④ 平圃：又称县圃、玄圃。

⑤ 司：管理。

⑥ 徇（xùn）：遍行。

⑦ 榴：未详何物。

⑧ 熊熊、魂魂：皆形容盛大貌。

⑨ 后稷所潜：指后稷葬于此。

⑩ 榣（yáo）木之有若：谓榣木之上又生若木。榣木，一种大树；若木，传说中一种灵异的大树。

⑪ 离仑，神名，具体不详。

⑫ 鹯（zhān）：一种猛禽。宅：居，住。

⑬ 四成：四重。恒山，一作"桓山"。

⑭ "有穷鬼"二句：群鬼聚集在山之四胁。有穷，此处是对群鬼之总称。搏，即胁，指人体肋骨所在处，此处借指山之部位。

⑮ 淫水：当作"瑶水"。

⑯ 洛洛：同"落落"，水下流貌。

其音如勃皇①，见则其邑有兵。

西南四百里，曰昆仑之丘。是实惟帝之下都②，神陆吾司之③，其神状虎身而九尾，人面而虎爪④。是神也，司天之九部及帝之囿时⑤。有兽焉，其状如羊而四角，名曰土蝼，是食人。有鸟焉，其状如蜂，大如鸳鸯，名曰钦原，蠚鸟兽财死⑥，蠚木则枯。有鸟焉，其名曰鹑鸟⑦，是司帝之百服⑧。有木焉，其状如棠，黄华赤实，其味如李而无核，名曰沙棠，可以御水，食之使人不溺⑨。有草焉，名曰薲草⑩，其状如葵，其味如葱，食之已劳。河水出焉，而东南流注于无达⑪。赤水出焉，而东南流注于氾天之水⑫。洋水出焉，而西南流注于丑涂之水⑬。黑水出焉，而西流于

【土蝼】

---

① 勃皇：不详何物，郝懿行认为或是一种昆虫。

② 是：当为衍字。帝之下都：天帝在人间之城。

③ 陆吾：即《庄子·大宗师》中所说的山神肩吾。

④ "其神状"二句：此神即《海内西经》所记的开明兽。

⑤ "司天"句：谓掌管天的九域部界及天帝苑囿的时节。

⑥ 蠚（hē）：螫。

⑦ 鹑鸟：凤一类的神鸟；一说，赤凤谓之鹑。

⑧ 百服：各种器物服饰；一说，即百事。

⑨ 不溺：谓入水不沉。

⑩ 薲：音 pín。

⑪ 无达：山名。

⑫ 氾：音 fán。氾天亦是山名。

⑬ 丑涂：水名，也是山名。

大杅①，是多怪鸟兽。

又西三百七十里，曰乐游之山。桃水出焉，西流注于稷泽，是多白玉。其中多鳛鱼②，其状如蛇而四足，是食鱼。

西水行四百里，曰流沙。二百里至于嬴母之山，神长乘司之，是天之九德也③，其神状如人而豹尾④。其上多玉，其下多青石而无水。

【鳛鱼】

又西三百五十里，曰玉山⑤。是西王母所居也。西王母其状如人，豹尾虎齿而善啸，蓬发戴胜⑥，是司天之厉及五残⑦。有兽焉，其状如犬而豹文，其角如牛⑧，其名曰狡，其音如吠犬，见则其国大穰。有鸟焉，其状如翟而赤，名曰胜遇⑨，是食鱼，其音如录⑩，见则其国大水。

---

① 大杅（yú）：山名。

② 鳛（huá）鱼：当作"鰩（wèi）鱼"。

③ 是天之九德：谓其秉天之九德之气而生。

④ 豹：音zhuó，传说中一种似豹之兽。

⑤ 玉山：因此山多玉石，故名。李白诗"若非群玉山头见"即指此山。

⑥ 胜：发饰。

⑦ 厉：灾异。五残：一说为凶星名，一说为五刑残杀之气。

⑧ 牛：一作"羊"。

⑨ 胜：音xìng。

⑩ 录：未详何物，或当为"鹿"字。

又西四百八十里，曰轩辕之丘①。无草木。洵水出焉，南流注于黑水，其中多丹粟，多青雄黄。

又西三百里，曰积石之山。其下有石门，河水冒以西流②。是山也，万物无不有焉。

又西二百里，曰长留之山③。其神白帝少昊居之④。其兽皆文尾，其鸟皆文首⑤。是多文玉石。实惟员神磈氏之宫⑥，是神也，主司反景⑦。

又西二百八十里，曰章莪之山⑧。无草木，多瑶碧。所为甚怪⑨。有兽焉，其状如赤豹，五尾一角，其音如击石，其名如狰⑩。有鸟焉，其状如鹤，一足，赤文青质而白喙，名曰毕方⑪，其鸣自叫也，见则其邑有讹火⑫。

---

① 轩辕之丘：因轩辕氏黄帝居于此而得名。

② 冒：覆盖。"西"与"流"之间当有一"南"字。

③ 长留之山：一作"长流之山"。

④ 白帝少昊：传说中五方天帝中之西方天帝，即金天氏。

⑤ 文尾、文首：皆或作长尾、长首。

⑥ 磈：音wěi。

⑦ 反景：指太阳西下时日影反照在东边。景，同"影"。

⑧ 莪：音é。

⑨ 所为甚怪：多有奇怪之物。

⑩ 如：当作"曰"。

⑪ 可参见《海外南经》"毕方鸟"条。

⑫ 讹（é）火：怪火。讹，同"讹"。

【狰】

【毕方】

又西三百里，曰阴山。浊浴之水出焉①，而南流注于蕃泽，其中多文贝。有兽焉，其状如狸而白首②，名曰天狗，其音如榴榴③，可以御凶。

【天狗】

又西二百里，曰符惕之山④。其上多棕、楠，下多金、玉。神江疑居之。是山也，多怪雨，风云之所出也。

又西二百二十里，曰三危之山。三青鸟居之⑤。是山也，广员百

---

① 浊浴之水：一作"浊谷水"。

② 狸：一作"豹"。

③ 榴榴：一作"猫猫"。

④ 符惕（yáng）之山：一作"符阳之山"。

⑤ 为西王母取食、通信，充当使者的鸟。《大荒西经》云："有三青鸟，赤首黑目，一名曰大鵹（lí），一名曰少鵹，一名曰青鸟。"郭璞注："皆西王母所使也。"由此观之，"三青鸟"似非一鸟之名称，而是三只各有名字的青色之鸟。

里①。其上有兽焉，其状如牛，白身四角②，其豪如披蓑③，其名曰徼狚④，是食人。有鸟焉，一首而三身，其状如鹨⑤，其名曰鸱。

【徼狚】

【鸱】

又西一百九十里，曰騩山。其上多玉而无石。神耆童居之⑥，其音常如钟磬。其下多积蛇⑦。

又西三百五十里，曰天山。多金、玉，有青雄黄。英水出焉，而西南流注于汤谷⑧。有神焉⑨，其状如黄囊⑩，赤如丹火，六足四

【帝江】

---

① 员：同"圆"。

② 身：一作"首"。

③ 蓑：草制雨衣。

④ 徼狚（ào yē）：当作"獙狚（áo yè）"。

⑤ 鹨（luò）：似雕的一种鸟，黑文赤颈。

⑥ 耆（qí）童：即老童，颛顼之子。

⑦ 积蛇：指蛇聚积在一起。

⑧ 汤谷：与《海外东经》《大荒东经》所记的日出之地汤谷为异地而同名。

⑨ 焉：一作"鸟"。

⑩ 囊：口袋。

翼，浑敦无面目①，是识歌舞，实为帝江也。

又西二百九十里，曰泑山。神蓐收居之②。其上多婴短之玉③，其阳多瑾瑜之玉，其阴多青雄黄。是山也，西望日之所入，其气员④，神红光之所司也⑤。

西水行百里，至于翼望之山⑥。无草木，多金、玉。有兽焉，其状如狸，一目而三尾，名曰讙⑦，其音如夺百声⑧，是可以御凶，服之已瘅⑨。有鸟焉，其状如乌，三首六尾而善笑，名曰鵸鵌⑩，服之使人不厌⑪，又可以御凶。

【讙】　【鵸鵌】

---

① 浑敦：通“混沌”。

② 蓐（rù）收：神名，人面，虎爪，白毛，执钺。

③ 婴短之玉：即上文“瑜次之山”条所记的婴垣之玉。“短”“垣”疑皆是“脰”字之讹，“婴脰”即缠绕颈部之意。

④ 其气员：因日形圆，故其气也圆。员，通“圆”。

⑤ 红光：神名，疑即蓐收。

⑥ 翼望之山：《中山经·中次一十一山经》有翼望之山，与此山同名。

⑦ 讙：音huān。

⑧ “其音”句：谓其能作各种各样的声音。夺（duó）：当作“夺”。

⑨ 瘅（dàn）：通“疸”，黄疸病。

⑩ 鵸鵌（qí tú）：《北山经》有一种雌雄同体之鸟，与此同名。

⑪ 不厌（yǎn）：不生梦魇。

凡《西次三经》之首，崇吾之山至于翼望之山①，凡二十三山，六千七百四十四里。其神状皆羊身人面。其祠之礼：用一吉玉瘗②，糈用稷米。

《西次四经》之首曰阴山③。上多榖④，无石，其草多茆、蕃⑤。阴水出焉，西流注于洛。

北五十里，曰劳山。多茈草⑥。弱水出焉，而西流注于洛。

西五十里，曰罢父之山⑦。洱水出焉，而西南流注于洛，其中多茈、碧⑧。

北百七十里，曰申山。其上多榖、柞⑨，其下多杻、橿，其阳多金、玉。区水出焉，而东流注于河。

北二百里，曰鸟山。其上多桑，其下多楮，其阴多铁，其阳多玉。

---

① "崇吾之山"之上脱一"自"字。

② 吉玉：具有纹理色彩的美玉。

③ 阴山：上文有阴山，与此山同名。

④ 榖：当作"榖"。

⑤ 茆（mǎo）、蕃（fán）：两种草，茆即凫葵，蕃即青蕃。

⑥ 茈（zǐ）：紫。

⑦ 罢父之山：当作"罢谷之山"。

⑧ 茈：紫色石头。

⑨ 榖：当作"榖"。

辱水出焉，而东流注于河。

又北二十里，曰上申之山。上无草木，而多硌石①，下多榛、楛②，兽多白鹿。其鸟多当扈③，其状如雉，以其髯飞④，食之不眴目⑤。汤水出焉，东流注于河。

又北八十里，曰诸次之山。诸次之水出焉，而东流注于河。是山也，多木无草，鸟兽莫居，是多众蛇。

又北百八十里，曰号山。其木多漆、棕⑥，其草多药、虈、芎䓖⑦，多泠石⑧。端水出焉，而东流注于河。

又北二百二十里，曰盂山。其阴多铁，其阳多铜，其兽多白狼、白虎，其鸟多白雉、白翟⑨。生水出焉，而东流注于河。

---

① 硌（luò）石：大石。
② 榛、楛（hù）：皆树木名。
③ 当扈：一作"当户"。
④ 髯（rǎn）：动物咽喉下方的须。
⑤ 眴（shùn）目：即瞬目，眨眼。
⑥ 漆：一种落叶乔木。
⑦ 药、虈（xiāo）、芎䓖：三者皆香草名。
⑧ 泠（gàn）：通"淦"，一种柔软如泥的石头。
⑨ 翟：一作"翠"。

西二百五十里，曰白於之山。上多松、柏，下多栎、檀①，其兽多牦牛、羬羊，其鸟多鸮。洛水出于其阳，而东流注于渭；夹水出于其阴，东流注于生水。

西北三百里，曰申首之山②。无草木，冬夏有雪。申水出于其上，潜于其下，是多白玉。

又西五十五里，曰泾谷之山。泾水出焉，东南流注于渭，是多白金、白玉。

【神魋】

又西百二十里，曰刚山。多柒木③，多琈珷之玉。刚水出焉，北流注于渭。是多神魋④，其状人面兽身，一足一手，其音如钦⑤。

又西二百里，至刚山之尾。洛水出焉，而北流注于河。其中多蛮蛮⑥，其状鼠身而鳖首，其音如吠犬。

【蛮蛮】

---

① 栎：柞树。

② 申首之山：当作"由首之山"。

③ 柒：同"漆"。

④ 魋（chī）：魑魅之类的厉鬼。

⑤ 钦：通"吟"。

⑥ 蛮蛮：獭一类的动物，与上文之比翼鸟同名。

又西三百五十里，曰英鞮之山。上多漆木，下多金、玉，鸟兽尽白。浣水出焉，而北流注于陵羊之泽。是多冉遗之鱼①，鱼身，蛇首，六足，其目如马耳，食之使人不眯②，可以御凶。

【冉遗鱼】

又西三百里，曰中曲之山。其阳多玉，其阴多雄黄、白玉及金。有兽焉，其状如马而白身、黑尾、一角、虎牙爪，音如鼓音③，其名曰驳④，是食虎豹，可以御兵⑤。有木焉，其状如棠而员叶赤实，实大如木瓜，名曰櫰木⑥，食之多力。

【驳】

又西二百六十里，曰邽山⑦。其上有兽焉，其状如牛，蝟毛⑧，名曰穷

【蠃鱼】

---

① 冉遗之鱼：一作"无遗之鱼"。

② 不眯：即不厌，不生梦魇。

③ 音：此字当为衍字。

④ 驳（bó）：参见《海外北经》"北海内有兽"条。

⑤ 可以御兵：谓养着它可以避免为兵刃所伤。

⑥ 櫰：音huái。

⑦ 邽：音guī。

⑧ 蝟毛：谓长着刺猬毛一样的毛。

奇，音如獋狗①，是食人。濛水出焉，南流注于洋水，其中多黄贝、赢鱼②，鱼身而鸟翼，音如鸳鸯，见则其邑大水。

又西二百二十里，曰鸟鼠同穴之山③。其上多白虎、白玉。渭水出焉，而东流注于河。其中多鳋鱼④，其状如鳣鱼⑤，动则其邑有大兵。滥水出于其西，西流注于汉水。多𩽆𩽪之鱼⑥，其状如覆铫⑦，鸟首而鱼翼鱼尾，音如磬石之声，是生珠玉。

【鸟鼠同穴】　【𩽆𩽪鱼】

西南三百六十里，曰崦嵫之山⑧。其上多丹木，其叶如榖⑨，其实

---

① 獋（háo）：同"嗥"。

② 黄贝：一种甲虫。

③ 鸟鼠同穴之山：据郭璞注，此山有鸟似燕而黄色，叫作鵌；有鼠如家鼠而短尾，叫作鼵（tū）。鸟在外，鼠在内，共处一洞穴之中。

④ 鳋：音sāo。

⑤ 鳣（zhān）鱼：即鲟鳇鱼。

⑥ 𩽆𩽪：音rú pí。

⑦ 铫（diào）：类似于小锅的炖煮用具。

⑧ 崦嵫（yān zī）：山名，相传为日落之处。

⑨ 榖：当作"榖"。

大如瓜，赤符而黑理①，食之已瘅，可以御火。其阳多龟，其阴多玉。苕水出焉，而西流注于海，其中多砥砺②。有兽焉，其状马身而鸟翼，人面蛇尾，是好举人③，名曰孰湖。有鸟焉，其状如鸮而人面，蜼身犬尾④，其名自号也，见则其邑大旱。

【人面鸮】

凡《西次四经》，自阴山以下至于崦嵫之山，凡十九山，三千六百八十里。其神祠礼：皆用一白鸡祈，糈以稻米，白菅为席。

右西经之山，凡七十七山，一万七千五百一十七里。

---

① 符：通"柎"，花萼。

② 砥砺：磨刀石，精者为砥，粗者为砺。

③ 好举人：喜欢将人抱住举起来。

④ 蜼（wèi）：猕猴的一种。参见《中山经·中次九经》"騩山"条。

| 北山经

《北山经》之首，曰单狐之山。多机木①，其上多华草②。滢水出焉③，而西流注于渤水，其中多芘石、文石④。

又北二百五十里，曰求如之山。其上多铜，其下多玉，无草木。滑水出焉，而西流注于诸毗之水。其中多滑鱼，其状如鳝⑤，赤背，其音如梧⑥，食之已疣⑦。其中多水马，其状如马，文臂牛尾⑧，其音如呼⑨。

又北三百里，曰带山。其上多玉，其下多青碧。有兽焉，其状如马，一角有错⑩，其名曰臛疏⑪，可以辟火。有鸟焉，其状如乌，五采

---

① 机木：类似榆树的一种树木，烧成灰可作稻田肥料。

② 华草：不详。

③ 滢：音 fēng。

④ 芘石：当为"茈石"之误。

⑤ 鳝（shàn）：同"鳝"，黄鳝。

⑥ 其音如梧：一说，梧即支吾，形容其叫声似人讲话含混声；一说，梧即琴。

⑦ 疣（yóu）：瘤子。

⑧ 臂：指前腿。

⑨ 如呼：像人的呼叫声。

⑩ 错：即甲错，指外壳粗糙不平。

⑪ 臛：音 huān。

而赤文，名曰鹆鹆①，是自为牝牡，食之不疽②。彭水出焉，而西流注于芘湖之水③。其中多鯈鱼④，其状如鸡而赤毛、三尾、六足、四首⑤，其音如鹊，食之可以已忧。

【朦疏】

【鯈鱼】

又北四百里，曰谯明之山⑥。谯水出焉，西流注于河。其中多何罗之鱼，一首而十身，其音如吠犬⑦，食之已痈。有兽焉，其状如貆而赤豪⑧，其音如榴榴，名曰孟槐，可以御凶⑨。是山也，无草木，多青雄黄⑩。

【何罗鱼】

---

① 鹆鹆：《西山经·西次三经》"翼望之山"条记有鹆鹆，与此为同名异物。

② 不疽（jū）：不长痈疽。

③ 芘湖之水：一作"茈湖之水"。

④ 鯈（tiáo）：通"鲦"。

⑤ 首：一作"目"。

⑥ 谯：音qiáo。

⑦ 如吠犬：当作"如犬吠"。

⑧ 貆（huán）：即豪猪，其毛（豪）为白色。

⑨ 可以御凶：谓能防避凶邪之气。

⑩ 青雄黄：一作"青碧"。

又北三百五十里，曰涿光之山。嚻水出焉，而西流注于河。其中多鳋鳋之鱼①，其状如鹊而十翼，鳞皆在羽端，其音如鹊，可以御火，食之不瘅。其上多松、柏，其下多棕、橿，其兽多麢羊，其鸟多蕃②。

【鳋鳋鱼】

【寓鸟】

又北三百八十里，曰虢山③。其上多漆，其下多桐、椐④，其阳多玉，其阴多铁。伊水出焉，西流注于河。其兽多橐驼⑤，其鸟多寓⑥，状如鼠而鸟翼，其音如羊，可以御兵。

又北四百里，至于虢山之尾。其上多玉而无石。鱼水出焉，西流注于河，其中多文贝。

又北二百里，曰丹熏之山。其上多樗、柏，其草多韭、䪥⑦，多丹

---

① 鳋：音xí。鳋字原指泥鳅，然据此处之描述，显然非现实世界所认知之泥鳅。

② 蕃：不详何鸟。

③ 虢（guó）山：一作"号山"。

④ 椐（jū）：即椤树，又名灵寿木，多肿节，可做手杖。

⑤ 橐驼：即骆驼。

⑥ 寓：类似蝙蝠的动物。

⑦ 韭、䪥（xiè）：皆山菜名。

臒。熏水出焉，而西流注于棠水。有兽焉，其状如鼠而菟首麋身[1]，其音如獆犬，名曰耳鼠[2]，食之不𦝫[3]，又可以御百毒。

又北二百八十里，曰石者之山。其上无草木，多瑶碧。泚水出焉，西流注于河。有兽焉，其状如豹而文题白身[4]，名曰孟极，是善伏[5]，其鸣自呼。

又北百一十里，曰边春之山[6]。多葱、葵、韭、桃、李[7]。杠水出焉，而西流注于泑泽。有兽焉，其状如禺而文身[8]，善笑，见人则卧[9]，名曰幽鴳[10]，其鸣自呼。

又北二百里，曰蔓联之山。其上无草木。有兽焉，其状如禺而有鬣，牛尾，文臂，马蹄，见人则呼[11]，名曰足訾[12]，其鸣自呼。有鸟焉，

---

① 菟（tù）首麋身：一作“兔首麋耳”。菟，同“兔”。“身”当为“耳”之误。

② 耳鼠：即鼯鼠。

③ 𦝫（cǎi）：中医指肚子膨胀的病。

④ 文题：额上有花纹。题，额。

⑤ 伏：隐藏。

⑥ 边春之山：一作“春山”。

⑦ 葱：此指茖（gé），一种野葱。

⑧ 身：一作“背”。

⑨ 见人则卧：谓见到人就装睡。

⑩ 幽鴳（è）：一作“幽頞（è）”。

⑪ 呼：一作“笑”。

⑫ 訾：音zǐ。

群居而朋飞①，其毛如雌雉，名曰䳨②，其鸣自呼，食之已风。

又北百八十里，曰单张之山。其上无草木。有兽焉，其状如豹而长尾，人首而牛耳，一目，名曰诸犍③，善吒④，行则衔其尾，居则蟠其尾⑤。有鸟焉，其状如雉而文首、白翼、黄足，名曰白鵺⑥，食之已嗌痛⑦，可以已痸⑧。栎水出焉，而南流注于杠水。

【诸犍】

又北三百二十里，曰灌题之山。其上多樗、柘⑨，其下多流沙，多砥。有兽焉，其状如牛而白尾，其音如訆⑩，名曰那父。有鸟焉，其状如雌雉而人面，见人则跃，名曰竦斯，其鸣自呼也。匠韩之水出焉，而西流注于泑泽，其中多磁石。

---

① 朋飞：结伴而飞。

② 䳨 (jiāo)：一作"渴"。

③ 犍：音jiān，由于郭璞音注亦用该字，疑误。

④ 吒 (zhà)：同"咤"，怒叫。

⑤ 蟠：盘曲。

⑥ 鵺：音yè。

⑦ 嗌 (yì)：咽喉。

⑧ 痸 (chì)：一说，即癞病，属皮肤病；一说，即小儿癫痫症。

⑨ 柘 (zhè)：一种落叶灌木或乔木，叶可喂蚕，树皮可染色。

⑩ 訆 (jiào)：同"叫"。

又北二百里，曰潘侯之山。其上多松、柏，其下多榛、楛，其阳多玉，其阴多铁。有兽焉，其状如牛而四节生毛，名曰旄牛。边水出焉，而南流注于栎泽。

【𫛭斯】

又北二百三十里，曰小咸之山。无草木，冬夏有雪。

【长蛇】

北二百八十里，曰大咸之山。无草木，其下多玉。是山也，四方，不可以上。有蛇名曰长蛇，其毛如彘豪①，其音如鼓柝②。

又北三百二十里，曰敦薨之山。其上多棕、楠，其下多茈草。敦薨之水出焉，而西流注于泑泽。出于昆仑之东北隅，实惟河原，其中多赤鲑。其兽多兕、旄牛③，其鸟多尸鸠④。

又北二百里，曰少咸之山。无草木，多青碧。有兽焉，其状如牛而赤身、人面、马足，名曰窫窳⑤，其音如婴儿，是食人。敦水出焉，

---

① 彘豪：猪鬃。

② 鼓柝（tuò）：鼓，敲击。柝，打更使用的梆子。

③ 旄牛：一作"朴牛"。

④ 尸（shī）鸠：当作"尸鸠"，即布谷鸟。

⑤ 窫窳（yà yǔ）：此兽与《海内南经》和《海内西经》中所记的窫窳为异物而同名。

东流注于雁门之水，其中多鮨鮨之鱼①，食之杀人②。

又北二百里，曰狱法之山。瀤泽之水出焉③，而东北流注于泰泽。其中多鳠鱼④，其状如鲤而鸡足，食之已疣。有兽焉，其状如犬而人面，善投，见人则笑，其名山㺊⑤，其行如风，见则天下大风。

［鳠鱼］ ［山㺊］

又北二百里⑥，曰北岳之山。多枳、棘、刚木⑦。有兽焉，其状如牛而四角、人目、彘耳，其名曰诸怀，其音如鸣雁，是食人。诸怀之水出焉，而西流注于嚣水。其中多鮨鱼⑧，鱼身而犬首，其音如婴儿，食之已狂。

---

① 鮨鮨（bèi bèi）之鱼：即江豚，鲸属哺乳动物。

② 食之杀人：谓有毒，人食之则死。

③ 瀤：音 huái。

④ 鳠：音 zǎo。

⑤ 㺊：音 huī。

⑥ 二百里：一作"一百里"。

⑦ 刚木：木质坚硬的树木。

⑧ 鮨：音 yì，郝懿行谓疑即海狗。

【诸怀】

【鲋鱼】

【肥遗】

又北百八十里，曰浑夕之山。无草木，多铜、玉。鼬水出焉，而西北流注于海。有蛇一首两身，名曰肥遗，见则其国大旱。

又北五十里，曰北单之山。无草木，多葱、韭。

又北百里，曰罴差之山。无草木，多马①。

又北百八十里，曰北鲜之山。是多马。鲜水出焉，而西北流注于涂吾之水。

又北百七十里，曰隄山。多马。有兽焉，其状如豹而文首，名曰狍②。隄水出焉，而东流注于泰泽，其中多龙龟③。

---

① 马：指野马。

② 狍：音 yǎo。

③ 龙龟：一说，龙、龟为二物；一说，为一物，龙种而龟身。

凡《北山经》之首，自单狐之山至于隄山，凡二十五山，五千四百九十里。其神皆人面蛇身。其祠之：毛用一雄鸡、彘瘗，吉玉用一珪，瘗而不糈。其山北人，皆生食不火之物①。

《北次二经》之首，在河之东，其首枕汾②，其名曰管涔之山③。其上无木而多草，其下多玉。汾水出焉，而西流注于河。

又西二百五十里④，曰少阳之山⑤。其上多玉，其下多赤银⑥。酸水出焉，而东流注于汾水，其中多美赭。

又北五十里，曰县雍之山。其上多玉，其下多铜，其兽多闾、麋⑦，其鸟多白翟、白䳑⑧。晋水出焉，而东南流注于汾水。其中多鮆鱼，其状如儵而赤鳞⑨，其音如叱⑩，食之不骄⑪。

又北二百里，曰狐岐之山。无草木，多青碧。胜水出焉，而东北

---

① 生食不火之物：一作"生食而不火"。

② 其首枕汾：指山之起始部分临汾水。

③ 涔：音 cén。

④ 西：当作"北"。

⑤ 少阳之山：在今山西交城西南。

⑥ 赤银：一说，为银之精华；一说，为赤色之银。

⑦ 闾：即瑜（yú），似驴而跂蹄，角如羚羊，又名山驴。

⑧ 白䳑（yǒu）：即白翰，见上文《西山经》。

⑨ 鳞：当作"鳞"。

⑩ 叱：一作"吒"。

⑪ 骄：疑当作"骚"，即狐臭。

流注于汾水，其中多苍玉。

又北三百五十里，曰白沙山。广员三百里，尽沙也，无草木鸟兽。鲔水出于其上[1]，潜于其下，是多白玉。

又北四百里，曰尔是之山。无草木，无水。

又北三百八十里，曰狂山。无草木。是山也，冬夏有雪。狂水出焉，而西流注于浮水，其中多美玉。

又北三百八十里，曰诸馀之山。其上多铜、玉，其下多松、柏。诸馀之水出焉，而东流注于旄水。

又北三百五十里，曰敦头之山。其上多金、玉，无草木。旄水出焉，而东流注于印泽[2]。其中多䮝马[3]，牛尾而白身，一角，其音如呼。

【䮝马】

又北三百五十里，曰钩吾之山。其上多玉，其下多铜。有兽焉，其状如羊身人面[4]，其目在

---

① 鲔：音wěi。谓鲔水发源于该山之上，停于该山之下。

② 印泽：当作"邛泽"。

③ 䮝：音bó。

④ 如：此字疑为衍字。

腋下，虎齿人爪，其音如婴儿，名曰狍
鸮①，是食人。

【狍鸮】

又北三百里，曰北嚻之山。无石，其
阳多碧，其阴多玉。有兽焉，其状如虎而
白身、犬首、马尾、彘鬣，名曰独㺄②。
有鸟焉，其状如乌，人面，名曰鳖䳋③，
宵飞而昼伏，食之已暍④。涔水出焉，而
东流注于邛泽。

【鳖䳋】

又北三百五十里，曰梁渠之山。无草
木，多金、玉。脩水出焉，而东流注于雁
门⑤。其兽多居暨，其状如彚而赤毛⑥，
其音如豚。有鸟焉，其状如夸父⑦，四翼
一目，犬尾，名曰嚻，其音如鹊，食之已
腹痛，可以止衕⑧。

【嚻】

---

① 狍（páo）鸮：也叫饕餮（tāo tiè），传说为一种贪食的恶兽。

② 㺄：音yù。

③ 鳖䳋：音pán mào。

④ 暍（yē）：中暑。

⑤ 雁门：此处为河流名。

⑥ 彚（wèi）：通"猬"，刺猬。

⑦ 夸父：即《西山经·西次三经》"崇吾之山"条中所说的举父。

⑧ 衕（dòng）：腹泻。

又北四百里，曰姑灌之山。无草木。是山也，冬夏有雪。

又北三百八十里，曰湖灌之山。其阳多玉，其阴多碧，多马。湖灌之水出焉，而东流注于海，其中多鮰①。有木焉，其叶如柳而赤理。

又北水行五百里，流沙三百里，至于洹山②。其上多金、玉。三桑生之，其树皆无枝，其高百仞，百果树生之。其下多怪蛇。

又北三百里，曰敦题之山。无草木，多金、玉。是镈于北海③。

凡《北次二经》之首，自管涔之山至于敦题之山，凡十七山，五千六百九十里。其神皆蛇身人面。其祠：毛用一雄鸡、彘瘗，用一璧一珪，投而不糈④。

《北次三经》之首，曰太行之山。其首曰归山。其上有金石，其下有碧。有兽焉，其状如羚羊而四角，马尾而有距，其名曰𩤌⑤，善还⑥，其名自讥。有鸟焉，其状如鹊，白身赤尾，六足，其名曰𪃽⑦，是善

---

① 鮰（shàn）：同"鳝"。

② 洹：音 huán。

③ 镈（chún）：通"蹲"。

④ 投而不糈：谓将玉器投入山中，不埋，亦不用精米。

⑤ 𩤌：音 hún。

⑥ 还（xuán）：盘旋而舞。

⑦ 𪃽：音 bēn。

惊，其鸣自诐①。

[駏]

[鹊]

又东北二百里，曰龙侯之山。无
草木，多金、玉。决决之水出焉②，而
东流注于河。其中多人鱼，其状如鳂
鱼③，四足，其音如婴儿，食之无
痴疾④。

[人鱼]

又东北二百里，曰马成之山。其
上多文石，其阴多金、玉。有兽焉，
其状如白犬而黑头，见人则飞，其名
曰天马，其鸣自讪。有鸟焉，其状如
乌，首白而身青足黄，是名曰鶌鶋⑤，

[天马]

---

① 诐（jiào）：同"叫"。

② 决决（jué jué）之水：一作"决水"。

③ 鳂（tí）鱼：即鲵鱼，俗称娃娃鱼，因其叫声如小孩啼哭而得名。

④ 痴疾：痴呆症。

⑤ 鶌鶋：音 qū jū。

其鸣自诙，食之不饥，可以已寓①。

又东北七十里，曰咸山。其上有玉，其下多铜，是多松、柏，草多苘草。条菅之水出焉，而西南流注于长泽，其中多器酸②，三岁一成，食之已疠。

又东北二百里，曰天池之山。其上无草木，多文石。有兽焉，其状如兔而鼠首，以其背飞，其名曰飞鼠。渑水出焉，潜于其下，其中多黄垩。

【飞鼠】

又东三百里，曰阳山。其上多玉，其下多金、铜。有兽焉，其状如牛而赤尾，其颈䏏③，其状如句瞿④，其名曰领胡⑤，其鸣自诙，食之已狂。有鸟焉，其状如雌雉而五采以文，是自为牝牡，名曰象蛇，其鸣自诙。留水出焉，而南流注于河。其中有鮯父之鱼⑥，其状如鲋鱼，鱼首而彘身，食之已呕。

又东三百五十里，曰贲闻之山。其上多苍玉，其下多黄垩，多

---

① 寓：一说，当作"误"，指健忘症；一说，通"癒（yù）"，疣病。

② 器酸：具体不详。或曰泽水滞留，积久为酸。

③ 䏏（shèn）：肉隆起状。

④ 句瞿：斗，古代称量粮食的器具。

⑤ 领胡：领，颈部；胡，垂肉。该兽当自起颈部垂肉特征得名。

⑥ 鮯：音xiàn。

涅石①。

又北百里，曰王屋之山。是多石。㶅水出焉②，而西北流于泰泽。

又东北三百里，曰教山。其上多玉而无石。教水出焉，西流注于河，是水冬干而夏流，实惟干河。其中有两山。是山也，广员三百步，其名曰发丸之山，其上有金、玉。

又南三百里，曰景山。南望盐贩之泽③，北望少泽。其上多草、藷藇④，其草多秦椒⑤，其阴多赭，其阳多玉。有鸟焉，其状如蛇而四翼、六目、三足，名曰酸与，其鸣自詨，见则其邑有恐⑥。

【酸与】

又东南三百二十里，曰孟门之山。其上多苍玉，多金，其下多黄垩，多涅石。

又东南三百二十里，曰平山。平水出于其上，潜于其下，是多

① 涅石：矾石。

② 㶅：音 lián。

③ 盐贩之泽：一本无"贩"字。

④ 藷藇（shǔ yù）：即山药，亦称薯蓣（yù）。

⑤ 秦椒：即花椒。

⑥ 有恐：谓发生恐慌。

美玉。

又东二百里①，曰京山。有美玉，多漆木，多竹，其阳有赤铜，其阴有玄礵②。高水出焉，南流注于河。

又东二百里③，曰虫尾之山。其上多金、玉，其下多竹，多青碧。丹水出焉，南流注于河。薄水出焉，而东南流注于黄泽。

又东三百里，曰彭毗之山④。其上无草木，多金、玉，其下多水。蚤林之水出焉，东南流注于河。肥水出焉，而南流注于床水，其中多肥遗之蛇。

又东百八十里，曰小侯之山。明漳之水出焉，南流注于黄泽。有鸟焉，其状如乌而白文，名曰鸪鹠⑤，食之不瘤⑥。

又东三百七十里，曰泰头之山。共水出焉⑦，南注于虖池⑧。其上多金、玉，其下多竹箭。

---

①二百里：一作"三百里"。

②玄礵（sù）：黑色砥石。

③二百里：一作"三百里"。

④彭毗之山：一作"鼓毗之山"。

⑤鹠：音xí。

⑥瘤（jiào）：眼睛昏花。

⑦共：音gōng。

⑧虖池（tuó）：即下文所说的"虖沱"。

又东北二百里，曰轩辕之山。其上多铜，其下多竹。有鸟焉，其状如枭而白首，其名曰黄鸟，其鸣自讻，食之不妒。

又北二百里，曰谒戾之山。其上多松、柏，有金、玉。沁水出焉，南流注于河。其东有林焉，名曰丹林。丹林之水出焉，南流注于河。婴侯之水出焉，北流注于氾水。

东三百里，曰沮洳之山①。无草木，有金、玉。濝水出焉②，南流注于河。

又北三百里，曰神囷之山③。其上有文石，其下有白蛇，有飞虫。黄水出焉，而东流注于洹④。滏水出焉⑤，而东流注于欧水。

又北二百里，曰发鸠之山⑥。其上多柘木。有鸟焉，其状如乌，文首，白喙，赤足，名曰精卫，其鸣自詨。是炎帝之少女⑦，名曰女娃。女娃游于东海⑧，溺而不返，故为精卫，常衔西山之木石⑨，以堙

---

①沮洳：音jù rù。

②濝：音qí。

③神囷（qūn）之山：郭璞音注用“囷”字，知该字疑误。

④洹（huán）：河流名。

⑤滏：音fǔ。

⑥发鸠之山：据郭璞注，为太行山分支，在今山西省长子县西。

⑦少女：最小的女儿。

⑧东海：泛指东边的海。

⑨西山：泛指西边的山。

于东海①。漳水出焉，东流注于河。

又东北百二十里，曰少山。其上有金、玉，其下有铜。清漳之水出焉，东流于浊漳之水②。

又东北二百里，曰锡山。其上多玉，其下有砥。牛首之水出焉，而东流注于滏水。

又北二百里，曰景山。有美玉。景水出焉，东南流注于海泽。

又北百里，曰题首之山。有玉焉，多石，无水。

又北百里，曰绣山。其上有玉、青碧，其木多枸③，其草多芍药、芎䓖。洧水出焉④，而东流注于河，其中有鳠、黾⑤。

又北百二十里，曰松山。阳水出焉，东北流注于河。

又北百二十里，曰敦与之山。其上无草木，有金石。溹水出于其

---

① 堙（yīn）：填。

② "东流"二字下面当脱一"注"字。

③ 枸（xún）：一种可制为手杖的树木。

④ 洧：音 wěi。

⑤ 鳠（hù）：鱼名，似鲇鱼而大。黾（mǐn）：蛙的一种，似青蛙，腹大。

阳①，而东流注于泰陆之水；泜水出于其阴②，而东流注于彭水。槐水出焉，而东流注于泜泽。

又北百七十里，曰柘山。其阳有金、玉，其阴有铁。历聚之水出焉，而北流注于洧水。

又北三百里，曰维龙之山。其上有碧玉，其阳有金，其阴有铁。肥水出焉，而东流注于皋泽，其中多礨石③。敞铁之水出焉，而北流注于大泽。

又北百八十里，曰白马之山。其阳多石玉，其阴多铁，多赤铜。木马之水出焉，而东北流注于虖沱④。

又北二百里，曰空桑之山。无草木，冬夏有雪。空桑之水出焉，东流注于虖沱。

又北三百里，曰泰戏之山。无草木，多金、玉。有兽焉，其状如羊，一角一目，目在耳后，其名曰㺄㺄⑤，其鸣自讹。虖沱之水出焉，

---

① 漖：音 suò。
② 泜：音 zhī。
③ 礨（lěi）石：大石。一作"垒石"。
④ 虖沱：参见第59页"虖池"条注。
⑤ 㺄㺄：音 dōng dōng。

而东流注于溇水①。液女之水出于其阳，
南流注于沁水。

又北三百里，曰石山。多藏金玉。濩
濩之水出焉，而东流注于虖沱。鲜于之水
出焉，而南流注于虖沱。

又北二百里，曰童戎之山。皋涂之水出焉，而东流注于溇液水。

又北三百里，曰高是之山。滋水出焉，而南流注于虖沱。其木多
棕，其草多条。滱水出焉②，东流注于河。

又北三百里，曰陆山。多美玉。郪水出焉③，而东流注于河。

又北二百里，曰沂山。般水出焉④，而东流注于河。

北百二十里，曰燕山。多婴石⑤。燕水出焉，东流注于河。

又北山行五百里，水行五百里，至于饶山。是无草木，多瑶碧，

---

① 溇：音lóu。

② 滱：音kòu。

③ 郪（jiāng）水：一作"郯水"。

④ 般：音pán。

⑤ 婴石：一种似玉的石头，有带状彩纹，又叫燕石。

其兽多橐驼①，其鸟多鹠②。历虢之水出焉，而东流注于河，其中有师鱼③，食之杀人。

[獂]

又北四百里，曰乾山。无草木，其阳有金、玉，其阴有铁而无水。有兽焉，其状如牛而三足，其名曰獂④，其鸣自詨。

又北五百里，曰伦山。伦水出焉，而东流注于河。有兽焉，其状如麋，其川在尾上⑤，其名曰罴⑥。

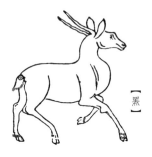

[罴]

又北五百里，曰碣石之山。绳水出焉，而东流注于河，其中多蒲夷之鱼⑦。其上有玉，其下多青碧。

又北水行五百里，至于雁门之山。无草木。

又北水行四百里，至于泰泽。其中有山焉，曰帝都之山，广员百

---

① 橐驼（tuó）：即骆驼。

② 鹠（liú）：即鸺（xiū）鹠，一种以鼠、兔为食的猛禽。

③ 师鱼：即鲵，娃娃鱼。

④ 獂（huán）：一作"獂（huán）"。

⑤ 川：当为"州"字之误。州，窍。

⑥ 罴：当作"罴九"，脱"九"字。

⑦ 蒲夷之鱼：疑即冉遗鱼。参见《西山经·西次四经》"英鞮之山"条。

里，无草木，有金、玉。

又北五百里，曰镇于毋逢之山。北望鸡号之山①，其风如飔②。西望幽都之山，浴水出焉。是有大蛇，赤首白身，其音如牛，见则其邑大旱。

凡《北次三经》之首，自太行之山以至于无逢之山③，凡四十六山，万二千三百五十里。其神状皆马身而人面者廿神④。其祠之：皆用一藻、茝瘗之⑤。其十四神状皆彘身而载玉⑥。其祠之：皆玉，不瘗。其十神状皆彘身而八足蛇尾。其祠之：皆用一璧瘗之。大凡四十四神，皆用稌糈米祠之，此皆不火食⑦。

右北经之山志，凡八十七山，二万三千二百三十里。

---

① 鸡号之山：一作"惟号之山"。

② 飔（lì）：风疾貌。

③ 无逢之山：即上文所说的镇于毋逢之山。

④ 廿（niàn）：二十。

⑤ 藻：聚藻，一种水草。茝（chǎi）：一种香草。祭神用草，与惯例不合，一说"茝"字是"珪"字之讹。

⑥ 载：通"戴"。

⑦ 不火食：生食。

山海经第四 ｜ # 东山经^①

《东山经》之首，曰樕螽之山^②。北临乾昧^③。食水出焉，而东北流注于海。其中多鱅鱅之鱼^④，其状如犁牛^⑤，其音如彘鸣^⑥。

又南三百里，曰藟山^⑦。其上有玉，其下有金。湖水出焉，东流注于食水，其中多活师^⑧。

又南三百里，曰枸状之山。其上多金、玉，其下多青碧石。有兽焉，其状如犬，六足，其名曰从从，其鸣自该。有鸟焉，其状如鸡而鼠毛^⑨，其名曰蚩鼠^⑩，见则其邑大旱。泿水出焉^⑪，而北流注于湖水。

---

① 这一经分四个部分，分记东方四列山系诸山的名称、物产和发源于诸山的河流，并对四列山系的山神形状及祭祀时的礼仪做了介绍。

② 樕螽：音 sù zhū。

③ 乾昧：山名。

④ 鱅鱅：音 yōng yōng。

⑤ 犁牛：一种毛色似老虎的牛。

⑥ 鸣：此字当为衍字。

⑦ 藟：音 lěi。

⑧ 活师：蝌蚪。

⑨ 毛：一作"尾"。

⑩ 蚩：音 zī。

⑪ 泿：音 zhǐ。

其中多箴鱼，其状如儵，其喙如箴①，食之无疫疾。

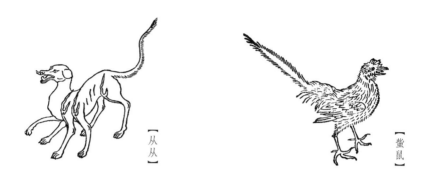

【从从】 【螢鼠】

又南三百里，曰勃𪊨之山②。无草木，无水。

又南三百里，曰番条之山。无草木，多沙。减水出焉③，北流注于海，其中多鳡鱼④。

又南四百里，曰姑儿之山。其上多漆，其下多桑、柘。姑儿之水出焉，北流注于海，其中多鳡鱼。

又南四百里，曰高氏之山。其上多玉，其下多箴石⑤。诸绳之水出焉，东流注于泽，其中多金、玉。

---

① 箴：针。

② 𪊨（qí）：同"齐"。

③ 减：同"减"。

④ 鳡（gǎn）鱼：一种凶猛的大型鱼类，又名黄鲇。

⑤ 箴石：一种可用于制作砭针的石头。

又南三百里，曰岳山。其上多桑，其下多樗。泺水出焉①，东流注于泽，其中多金、玉。

又南三百里，曰犲山②。其上无草木，其下多水，其中多堪�#之鱼③。其兽焉④，其状如夸父而彘毛，其音如呼，见则天下大水。

【鯈鱅】

又南三百里，曰独山。其上多金、玉，其下多美石。末涂之水出焉，而东南流注于沔。其中多鯈鱅⑤，其状如黄蛇，鱼翼，出入有光，见则其邑大旱。

又南三百里，曰泰山。其上多玉⑥，其下多金。有兽焉，其状如豚而有珠，名曰狪狪⑦，其鸣自讪。环水出焉，东流注于江⑧，其中多水玉。

又南三百里，曰竹山。锖于江⑨，无草木，多瑶碧。激水出焉，而

---

① 泺：音 luò。

② 犲（chái）：同“豺”。

③ 㥽：音 xù。

④ 其：当作“有”。

⑤ 鯈鱅：音 tiáo yóng。

⑥ 玉：一作“石”。

⑦ 狪狪：音 tóng tóng。

⑧ 江：一作“汶”。

⑨ 江：一作“汶”。

东南流注于娶檀之水，其中多茈蠃①。

凡《东山经》之首，自樕䗊之山以至于竹山，凡十二山，三千六百里。其神状皆人身龙首。祠：毛用一犬祈，聊用鱼②。

《东次二经》之首，曰空桑之山。北临食水，东望沮吴③，南望沙陵，西望湝泽。有兽焉，其状如牛而虎文，其音如钦④，其名曰𫍰𫍰⑤，其鸣自叫，见则天下大水。

又南六百里，曰曹夕之山。其下多榖而无水⑥，多鸟兽。

又西南四百里，曰峄皋之山⑦。其上多金、玉，其下多白垩。峄皋之水出焉，东流注于激女之水⑧，其中多蜃、珧⑨。

又南水行五百里，流沙三百里，至于葛山之尾。无草木，多砥砺。

---

① 茈蠃：当作"茈蠃"，即紫色的螺。

② 聊（èr）：以牲血涂器祭神。一作"䘏（èr）"。

③ 沮：音 jū。

④ 钦：一作"吟"。

⑤ 𫍰𫍰：音 líng líng。

⑥ 榖：当作"榖"。

⑦ 峄：音 yì。

⑧ 激女之水：一作"激汝之水"。

⑨ 蜃（shèn）、珧（yáo）：两种蚌类软体动物。

又南三百八十里，曰葛山之首。无草木。澧水出焉①，东流注于余泽。其中多珠蟞鱼②，其状如肺而有目六足③，有珠，其味酸甘，食之无疠④。

【珠蟞鱼】

又南三百八十里，曰徐峩之山。其上多梓、楠，其下多荆、芑⑤。杂余之水出焉，东流注于黄水。有兽焉，其状如菟而鸟喙、鸱目、蛇尾，见人则眠⑥，名曰犰狳⑦，其鸣自训，见则螽蝗为败⑧。

又南三百里，曰杜父之山。无草木，多水。

又南三百里，曰耿山。无草木，多水碧⑨，多大蛇。有兽焉，其状如狐而鱼翼，其名曰朱獳⑩，其鸣自训，见则其国有恐。

【朱獳】

---

① 澧：音lǐ。

② 蟞：音biē。

③ 肺（fèi）：同"肺"。有：当作"四"。

④ 疠：指恶疮之类的皮肤病。

⑤ 芑：同"杞"。

⑥ 见人则眠：谓见到人就装死。

⑦ 犰狳（qiú yú）：一作"犰（jǐ）狳"。

⑧ 螽（zhōng）蝗为败：谓蝗虫危害禾苗。螽即是蝗，蝗即是螽。"螽"字一作"虫"。

⑨ 水碧：水晶一类的矿物。

⑩ 獳：音rú。

又南三百里，曰卢其之山^①。无草木，多沙石。沙水出焉，南流注于涔水。其中多鹙鹕^②，其状如鸳鸯而人足，其鸣自讪，见则其国多土功。

又南三百八十里，曰姑射之山。无草木，多水。

又南水行三百里，流沙百里，曰北姑射之山。无草木，多石。

又南三百里，曰南姑射之山。无草木，多水。

又南三百里，曰碧山。无草木，多大蛇，多碧、水玉。

又南五百里，曰缑氏之山。无草木，多金、玉。原水出焉，东流注于沙泽。

又南三百里，曰姑逢之山。无草木，多金、玉。有兽焉，其状如狐而有翼，其音如鸿雁，其名曰獙獙^③，见则天下大旱。

［獙獙］

又南五百里，曰凫丽之山。其上多金、玉，其下多箴石。有兽焉，

---

① 卢其之山：一作"宪期之山"。

② 鹕：音hú。

③ 獙獙：音bì bì。

其状如狐而九尾、九首、虎爪，名曰蠪
姪[1]，其音如婴儿，是食人。

【蠪姪】

又南五百里，曰碄山[2]。南临碄水，
东望湖泽。有兽焉，其状如马而羊目、
四角、牛尾[3]，其音如獳狗，其名曰峳
峳[4]，见则其国多狡客[5]。有鸟焉，其状
如凫而鼠尾，善登木，其名曰絜钩[6]，
见则其国多疫。

【峳峳】

凡《东次二经》之首，自空桑之山
至于碄山，凡十七山，六千六百四十
里。其神状皆兽身人面载觡[7]。其祠：
毛用一鸡祈，婴用一璧瘗。

又《东次三经》之首[8]，曰尸胡之山。北望𣞣山[9]，其上多金、玉，

---

① 蠪（lóng）姪：当作“蠪蛭”。

② 碄：音yīn。

③ 目：一作“首”。

④ 峳峳（yóu yóu）：当作“莜莜”。

⑤ 狡客：狡猾之徒。

⑥ 絜：音xié。

⑦ 载觡（gé）：谓长有麋鹿那样的角。载，通“戴”。觡，麋鹿类动物的角。

⑧ “又”字为衍字。

⑨ 𣞣：音xiáng。

其下多棘。有兽焉，其状如麋而鱼目，名曰犬胡①，其鸣自讪。

又南水行八百里，曰岐山②。其木多桃、李，其兽多虎。

又南水行五百里，曰诸钩之山。无草木，多沙石。是山也，广员百里，多寐鱼。

又南水行七百里，曰中父之山。无草木，多沙。

又东水行千里，曰胡射之山③。无草木，多沙石。

又南水行七百里，曰孟子之山④。其木多梓、桐，多桃、李，其草多菌蒲⑤，其兽多麋、鹿。是山也，广员百里，其上有水出焉，名曰碧阳，其中多鳣、鲔⑥。

又南水行五百里，曰流沙。行五百里⑦，有山焉，曰跂踵之山。广员二百里，无草木，有大蛇，其上多玉。有水焉，广员四十里皆涌⑧，

---

① 犬胡：音wǎn。
② 岐山：与位于今陕西省的岐山同名，但不是同一座山。
③ 射：音yè。
④ 孟子之山：一作"孟于之山"。
⑤ 菌蒲：未详何草；一说，即紫菜、海带、海苔一类植物。
⑥ 鲔（wěi）：白鲟的古称。
⑦ 以上数句疑作"又南水行五百里，流沙五百里"，"曰""行"为衍字。
⑧ "有水焉"二句：谓水在地底，从方圆四十里内之地下喷涌而出。

其名曰深泽，其中多蠵龟[1]。有鱼焉，其状如鲤而六足鸟尾，名曰鲐鲐之鱼[2]，其名自叫[3]。

【鲐鲐鱼】

又南水行九百里，曰踇隅之山[4]。其上多草木，多金、玉，多赭。有兽焉，其状如牛而马尾，名曰精精，其鸣自叫。

又南水行五百里，流沙三百里，至于无皋之山。南望幼海[5]，东望榑木[6]，无草木，多风。是山也，广员百里。

凡《东次三经》之首，自尸胡之山至于无皋之山，凡九山，六千九百里。其神状皆人身而羊角。其祠：用一牡羊，米用黍。是神也，见则风雨水为败[7]。

又《东次四经》之首[8]，曰北号之山。临于北海。有木焉，其状如杨，赤华，其实如枣而无核，其味酸甘，食之不疟[9]。食水出焉，而东

---

① 蠵（xī）龟：一种壳上有彩纹的大龟。

② 鲐鲐：音 gé gé。

③ 名：当作"鸣"。

④ 踇：音 mǔ。

⑤ 幼海：即《淮南子》中所说的少海。

⑥ 榑（fú）木：即扶桑，东方神木之名。

⑦ 风雨水为败：狂风暴雨洪水败坏庄稼。

⑧ "又"字当为衍字。

⑨ 不疟：不会得疟疾。

北流注于海。有兽焉，其状如狼，赤首鼠目，其音如豚，名曰猲狙①，是食人。有鸟焉，其状如鸡而白首，鼠足而虎爪，其名曰㠪雀②，亦食人。

又南三百里，曰㫒山。无草木。苍体之水出焉，而西流注于展水。其中多鳛鱼③，其状如鲤而大首，食者不疣。

又南三百二十里，曰东始之山。上多苍玉。有木焉，其状如杨而赤理，其汁如血，不实，其名曰芑，可以服马④。泚水出焉，而东北流注于海。其中多美贝，多茈鱼，其状如鲋，一首而十身，其臭如蘪芜⑤，食之不糈⑥。

又东南三百里，曰女烝之山⑦。其上无草木。石膏水出焉，而西注于鬲水⑧。其中多薄鱼，其状如鳣鱼而一目，其音如欧⑨，见则天下大旱。

【薄鱼】

---

① 猲（gé）狙：当作"獦狚（gé dàn）"。

② 㠪：音 qí。

③ 鳛：音 qiū，疑即泥鳅。

④ 服马：指将芑汁涂在马身上，可使马性驯良。

⑤ 蘪（mí）芜：即蘼芜，一种香草。

⑥ 糈（pì）：同"屁"，放屁。

⑦ 烝：音 zhēng。

⑧ 鬲：音 lì。

⑨ 其音如欧：谓其声音如人呕吐时发出的声音。欧，通"呕"。

又东南二百里，曰钦山。多金、玉而无石。师水出焉，而北流注于皋泽，其中多鳝鱼，多文贝。有兽焉，其状如豚而有牙，其名曰当康，其鸣自叫，见则天下大穰。

又东南二百里，曰子桐之山。子桐之水出焉，而西流注于馀如之泽。其中多鳍鱼①，其状如鱼而鸟翼，出入有光，其音如鸳鸯，见则天下大旱。

【鳍鱼】

又东北二百里，曰剡山。多金、玉。有兽焉，其状如彘而人面，黄身而赤尾，其名曰合窳，其音如婴儿。是兽也，食人，亦食虫蛇，见则天下大水。

又东二百里，曰太山。上多金、玉、桢木②。有兽焉，其状如牛而白首，一目而蛇尾，其名曰蜚③，行水则竭，行草则死，见则天下大疫。钩水出焉，而北流注于劳水，其中多鳝鱼。

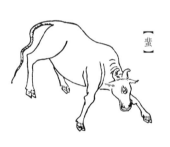

【蜚】

凡《东次四经》之首，自北号之山至于太山，凡八山，一千七百

---

① 鳍：音huá。

② 桢木：一种常绿灌木或乔木，又名女贞。

③ 蜚：音fěi。

二十里①。

　　右东经之山志，凡四十六山，万八千八百六十里。

---

① 此节不记载山神的形状和祭祀时的礼仪，疑文字有缺漏。

| # 中山经

《中山经》薄山之首，曰甘枣之山。共水出焉，而西流注于河。其上多枑木，其下有草焉，葵本而杏叶①，黄华而荚实，名曰箨②，可以已瞢③。有兽焉，其状如𪓨鼠而文题④，其名曰𪕛⑤，食之已瘿。

又东二十里，曰历儿之山。其上多橿，多枥木⑥，是木也，方茎而员叶⑦，黄华而毛，其实如拣⑧，服之不忘⑨。

又东十五里，曰渠猪之山。其上多竹。渠猪之水出焉，而南流注于河。其中是多豪鱼，状如鲔，赤喙尾赤羽⑩，可以已白癣⑪。

---

① 杏：一作"梧"。

② 箨：音 tuò。

③ 瞢（méng）：目不明。

④ 𪓨（dú）鼠：具体不详。文题：额上有纹理。

⑤ 𪕛：音 nuó。

⑥ 枥：音 lì。

⑦ 茎：此指树干。

⑧ 拣：当作"楝"，一种落叶乔木。

⑨ 服之不忘：谓服食后能使人记忆力增强。

⑩ "喙"字后当脱一"赤"字。

⑪ "可以"之上脱"食之"二字。

又东三十五里，曰葱聋之山。其中多大谷，是多白垩，黑、青、黄垩①。

又东十五里，曰涹山②。其上多赤铜，其阴多铁。

又东七十里，曰脱扈之山。有草焉，其状如葵叶而赤华荚实，实如棕荚③，名曰植楮，可以已癙④，食之不眯。

又东二十里，曰金星之山。多天婴，其状如龙骨⑤，可以已痤⑥。

又东七十里，曰泰威之山。其中有谷，曰枭谷，其中多铁。

又东十五里，曰橿谷之山⑦。其中多赤铜。

又东百二十里，曰吴林之山。其中多葌草⑧。

---

① 黑、青、黄垩：谓垩土有黑、青、黄三色混杂在一起，即杂色垩。

② 涹：音wō。

③ 棕荚：疑指棕树的翅果。

④ 癙（shǔ）：类似抑郁症的精神疾病。

⑤ 龙骨：古代称龙骨者，多疑为象、犀牛等大型动物之化石。

⑥ 痤（cuó）：痤疮，皮肤上生出的小疙瘩。

⑦ 橿谷之山：一作"檀谷之山"。

⑧ 葌（jiān）草：即兰草。葌，同"菅"。

又北三十里，曰牛首之山。有草焉，名曰鬼草①，其叶如葵而赤茎，其秀如禾②，服之不忧。劳水出焉，而西流注于潏水③。是多飞鱼，其状如鲋鱼，食之已痔、衕。

又北四十里，曰霍山。其木多榖。有兽焉，其状如狸而白尾有鬣，名曰朏朏④，养之可以已忧。

又北五十二里，曰合谷之山。是多薝棘⑤。

又北三十五里，曰阴山。多砺石、文石。少水出焉，其中多彫棠，其叶如榆叶而方，其实如赤菽⑥，食之已聋。

又东北四百里，曰鼓镫之山。多赤铜。有草焉，名曰荣草，其叶如柳，其本如鸡卵，食之已风⑦。

凡薄山之首，自甘枣之山至于鼓镫之山，凡十五山，六千六百七十里。历儿，冢也，其祠礼：毛，太牢之具；县以吉玉⑧。其馀十三山

---

① 鬼草：一作"鬼目"。

② 秀：指草类植物结实。

③ 潏：音 jué。

④ 朏朏：音 fěi fěi。

⑤ 薝（zhān）棘：疑当作颠棘，即天门冬。

⑥ 赤菽：赤豆。

⑦ 风：麻风病。

⑧ 县：通"悬"。

者，毛用一羊，县婴用桑封①，瘞而不糈。桑封者，桑主也②，方其下而锐其上，而中穿之加金。

《中次二经》济山之首，曰辉诸之山。其上多桑，其兽多闾、麋，其鸟多鹖③。

又西南二百里，曰发视之山。其上多金、玉，其下多砥砺。即鱼之水出焉，而西流注于伊水。

又西三百里，曰豪山。其上多金、玉而无草木。

又西三百里，曰鲜山。多金、玉，无草木。鲜水出焉，而北流注于伊水。其中多鸣蛇，其状如蛇而四翼，其音如磬，见则其邑大旱。

又西三百里④，曰阳山。多石，无草木。阳水出焉，而北流注于伊水。其中多化蛇，

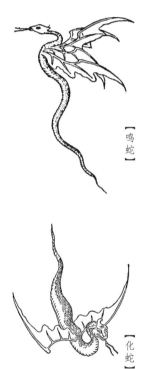

【鸣蛇】

【化蛇】

---

① 桑封：疑为"藻珪"之误。
② 桑主：疑为"藻玉"之误。
③ 鹖（hé）：野鸡的一种，羽毛青色，有毛角。
④ 三百里：当作"三十里"。

其状如人面而豺身，鸟翼而蛇行，其音如叱呼，见则其邑大水。

又西二百里，曰昆吾之山。其上多赤铜。有兽焉，其状如彘而有角，其音如号，名曰蚳蚳^①，食之不眯。

又西百二十里，曰葌山。葌水出焉，而北流注于伊水。其上多金、玉，其下多青雄黄。有木焉，其状如棠而赤叶，名曰芒草，可以毒鱼。

又西一百五十里，曰独苏之山。无草木而多水。

又西二百里，曰蔓渠之山。其上多金、玉，其下多竹箭。伊水出焉，而东流注于洛。有兽焉，其名曰马腹，其状如人面虎身^②，其音如婴儿，是食人。

【马腹】

凡济山之首，自煇诸之山至于蔓渠之山，凡九山，一千六百七十里。其神皆人面而鸟身。祠：用毛，用一吉玉，投而不糈。

《中次三经》萯山之首^③，曰敖岸之山^④。其阳多㻬琈之玉，其阴多

_____

① 蚳蚳（chí）：当作"蚳蛭"。参见第72页"蚳蛭"条注。
② 面：一作"而"。
③ 萯：音 bèi。
④ "敖"一作"献"。

赭、黄金。神熏池居之。是常出美玉①。北望河林，其状如蒨如举②。有兽焉，其状如白鹿而四角，名曰夫诸，见则其邑大水。

又东十里，曰青要之山。实惟帝之密都③。北望河曲，是多驾鸟④。南望墠渚⑤，禹父之所化⑥，是多仆累、蒲卢⑦。魁武罗司之⑧，其状人面而豹文，小要而白齿⑨，而穿耳以镰⑩，其鸣如鸣玉。是山也，宜女子。畛水出焉⑪，而北流注于河。其中有鸟焉，名曰鴢⑫，其状如凫，青身而朱目赤尾，食之宜子⑬。有草焉，其状如葌而方茎、黄华、赤实，其本如藁本⑭，名曰荀草，服之美人色。

［飞鱼］

又东十里，曰騩山。其上有美枣，其阴有琈琈之玉。正回之水出焉，而北

---

① 玉：一作"石"。

② 如蒨（qiàn）如举：像蒨草又像榉木。举，通"榉"。

③ 密都：幽深隐秘之城。

④ 驾鸟：不详何物。

⑤ 墠：音shàn。渚：水中小洲。

⑥ "禹父"句：谓墠渚为大禹父亲鲧变化而成；传说多称鲧"入于羽渊"，与此不同。

⑦ 仆累、蒲卢：蜗牛一类爬行动物。

⑧ 魁（shēn）：同"神"。

⑨ 要：通"腰"。

⑩ 镰（qú）：金银所制环状饰品。

⑪ 畛：音zhěn。

⑫ 鴢（yǎo）：即鱼鸡，鸬鹚的一种。

⑬ 宜子：谓能使子孙繁衍。

⑭ 藁本：一种香草。

流注于河。其中多飞鱼①，其状如豚而赤文，服之不畏雷，可以御兵。

又东四十里，曰宜苏之山。其上多金、玉，其下多蔓居之木。潏潏之水出焉，而北流注于河，是多黄贝。

又东二十里，曰和山。其上无草木而多瑶碧。实惟河之九都②。是山也，五曲③，九水出焉，合而北流注于河，其中多苍玉。吉神泰逢司之④，其状如人而虎尾，是好居于苬山之阳，出入有光。泰逢神动天地气也⑤。

【泰逢】

凡苬山之首，自敖岸之山至于和山，凡五山，四百四十里。其祠：泰逢、熏池、武罗，皆一牡羊副⑥，婴用吉玉；其二神，用一雄鸡瘗之，糈用稌。

《中次四经》釐山之首⑦，曰鹿蹄之山。其上多玉，其下多金。甘

---

①飞鱼：上文"牛首之山"条所提到的劳水中的飞鱼与此为同名异物。

②都，通"潴（zhū）"，水停聚处。

③五曲：五重回环曲折。

④吉：善。

⑤动天地气：谓有灵力能呼风唤雨。

⑥副（pì）：剖开。此处指肢解牲畜以祭神。

⑦釐：音lí。

水出焉，而北流注于洛，其中多泠石①。

西五十里，曰扶猪之山。其上多礝石②。有兽焉，其状如貉而人目③，其名曰麿④。虢水出焉，而北流注于洛，其中多瓀石⑤。

又西一百二十里，曰釐山。其阳多玉，其阴多蒐⑥。有兽焉，其状如牛，苍身，其音如婴儿，是食人，其名曰犀渠⑦。滽滽之水出焉⑧，而南流注于伊水。有兽焉，名曰獭⑨，其状如獳犬而有鳞⑩，其毛如彘鬣。

【獭】

又西二百里，曰箕尾之山。多穀⑪，多涂石⑫，其上多㻬琈之玉。

又西二百五十里，曰柄山。其上多玉，其下多铜。滔雕之水出焉，

---

① 泠（líng）石：当作"泠石"。

② 礝（ruǎn）石：即碝（ruǎn）石，一种似玉的石头。

③ 貉（hé）：一种外形似狐的哺乳动物。

④ 麿：音 yín。

⑤ 瓀（ruán）石：一种似玉的美石。

⑥ 蒐（sōu）：茅蒐，又称茜草，古人认为乃人血所生，可用作染料。

⑦ 犀渠：犀牛一类的动物。

⑧ 滽滽之水：与《中次三经》"宜苏之山"条中的滽滽之水同名而异物。

⑨ 獭：音 xié。

⑩ 獳（nòu）犬：怒犬。獳，狗发怒的样子。

⑪ 穀：当作"榖"。

⑫ 涂石：即泠石。

而北流注于洛。其中多㻌羊。有木焉，其状如樗，其叶如桐而荚实，其名曰苃①，可以毒鱼。

又西二百里，曰白边之山。其上多金、玉，其下多青雄黄。

又西二百里，曰熊耳之山。其上多漆，其下多棕。浮濠之水出焉，而西流注于洛，其中多水玉，多人鱼。有草焉，其状如苏而赤华②，名曰葶苧③，可以毒鱼。

又西三百里，曰牡山④。其上多文石，其下多竹箭、竹䉬，其兽多㸲牛、㻌羊，鸟多赤鷩。

又西三百五十里，曰讙举之山。雒水出焉，而东北流注于玄扈之水，其中多马肠之物⑤。此二山者，洛间也⑥。

凡釐山之首，自鹿蹄之山至于玄扈之山，凡九山，千六百七十里。其神状皆人面兽身。其祠之：毛用一白鸡，祈而不糈⑦，以采衣之⑧。

---

①苃（bá）：一作"艾"。疑当作"芫"，音 yuán，一种落叶灌木，其花为紫色，有毒。

②苏：一种可入药的草本植物。

③葶苧：音 dǐng níng。

④牡山：又作"牝山""壮山"。

⑤马肠：一作"马腹"。

⑥"此二山者"二句：谓洛水夹在二山之间。二山，指讙举之山和玄扈之山。

⑦祈：通"刉（jī）"，杀牲取血以涂祭。

⑧以采衣之：谓用五彩装饰白鸡。

《中次五经》薄山之首，曰苟床之山①。无草木，多怪石。

东三百里，曰首山。其阴多穀、柞，其草多茉、芫②；其阳多㻬琈之玉，木多槐。其阴有谷，曰机谷，多𩿧鸟③，其状如枭而三目，有耳，其音如录，食之已垫④。

【𩿧鸟】

又东三百里，曰县𩹦之山⑤。无草木，多文石。

又东三百里，曰葱聋之山。无草木，多磨石⑥。

东北五百里，曰条谷之山。其木多槐、桐，其草多芍药、蘴冬⑦。

又北十里，曰超山。其阴多苍玉，其阳有井，冬有水而夏竭。

又东五百里，曰成侯之山。其上多櫄木⑧，其草多芃⑨。

---

① 苟床之山：当作"苟林山"。

② 茉（zhú）：通"术"，一种草药。

③ 𩿧：音 dài。

④ 垫：湿气病。

⑤ 𩹦：音 zhú。

⑥ 磨（bàng）石：即珜（bàng）石，一种次于玉的美石。

⑦ 蘴（mén）冬：当作"虋（mén）冬"，即门冬，分为麦门冬、天门冬两种，皆可入药。

⑧ 櫄（chūn）：通"椿"。

⑨ 芃（péng）：当作"芁（jiāo）"。芁即秦芁，是一种可入药的植物。

又东五百里，曰朝歌之山。谷多美垩。

又东五百里，曰槐山[1]。谷多金、锡。

又东十里，曰历山。其木多槐，其阳多玉。

又东十里，曰尸山。多苍玉，其兽多麖[2]。尸水出焉，南流注于洛水，其中多美玉。

又东十里，曰良馀之山。其上多穀、柞，无石。馀水出于其阴，而北流注于河；乳水出于其阳，而东南流注于洛。

又东南十里，曰蛊尾之山。多砺石、赤铜。龙馀之水出焉，而东南流注于洛。

又东北二十里，曰升山。其木多穀、柞、棘，其草多藷萸、蕙，多寇脱[3]。黄酸之水出焉，而北流注于河，其中多璇玉[4]。

又东十二里，曰阳虚之山。多金。临于玄扈之水。

---

① 槐山：当作"�286（jì）山"。"�286"，同"稷"。

② 麖（jīng）：大鹿。

③ 寇脱：俗称通草，可作装饰品，也可入药。

④ 璇玉：一种次于玉的美石。

凡薄山之首，自苟林之山至于阳虚之山，凡十六山，二千九百八十二里。升山，冢也，其祠礼：太牢，婴用吉玉。首山，魁也，其祠用稌、黑牺、太牢之具、糵酿①，干儛②，置鼓③，婴用一璧。尸水，合天也④，肥牲祠之，用一黑犬于上，用一雌鸡于下，刉一牝羊⑤，献血⑥，婴用吉玉，采之，飨之⑦。

《中次六经》缟羝山之首⑧，曰平逢之山。南望伊、洛，东望榖城之山。无草木，无水，多沙石。有神焉，其状如人而二首，名曰骄虫，是为螫虫⑨，实惟蜂蜜之庐⑩。其祠之：用一雄鸡，禳而勿杀⑪。

【骄虫】

西十里，曰缟羝之山。无草木，多金、玉。

---

① 糵（niè）酿：发酵的酒酿。糵，同"蘖"，即酒曲，酿酒用的发酵剂。

② 干儛（wǔ）：古代一种持盾而舞的舞蹈。干，盾牌。儛，同"舞"。

③ 置鼓：谓击鼓伴舞。

④ "尸水"二句：谓尸水为天神所依凭。

⑤ 刉（jī）：割，切。

⑥ 献血：谓用血来祭祀。

⑦ 飨（xiǎng）：祭献。

⑧ 羝：音dī。

⑨ 是为螫虫：此处指为螫虫之首领。螫虫，指尾部有毒针可刺人的虫。

⑩ 蜂蜜之庐：谓为群蜂所聚集之处。

⑪ 禳而勿杀：谓用活鸡祭祀后，放生不杀。禳，祈祷以祛灾祸，此处指通过祭祀使蜂勿蜇人。依《山海经》惯常体例，"有神焉"以下数句似不当在此，应在《中次六经》之末。

又西十里，曰厜山①。多瑌珚之玉。其阴有谷焉，名曰蘿谷②，其木多柳、楮。其中有鸟焉，状如山鸡而长尾，赤如丹火而青喙，名曰鸰鹦③，其鸣自呼，服之不眯。交觞之水出于其阳，而南流注于洛；俞随之水出于其阴，而北流注于榖水。

又西三十里，曰瞻诸之山。其阳多金，其阴多文石。㴬水出焉④，而东南流注于洛；少水出其阴，而东流注于榖水。

又西三十里，曰娄涿之山。无草木，多金、玉。瞻水出于其阳，而东流注于洛；陂水出于其阴，而北流注于榖水，其中多茈石、文石。

又西四十里，曰白石之山。惠水出于其阳，而南流注于洛，其中多水玉；涧水出于其阴，西北流注于榖水，其中多麋石、栌丹⑤。

又西五十里，曰榖山。其上多榖⑥，其下多桑。爽水出焉，而西北流注于榖水，其中多碧绿⑦。

---

① 厜：音 guī。

② 蘿：音 guàn。

③ 鸰鹦：音 líng yāo。

④ 㴬：音 xiè。

⑤ 麋石：疑即画眉石；"眉""麋"古音相通。栌丹：疑即黑色丹砂；栌，通"卢"，黑色。

⑥ 榖：当作"榖"。

⑦ 碧绿：即碧玉。

又西七十二里，曰密山。其阳多玉，其阴多铁。豪水出焉，而南流注于洛。其中多旋龟，其状鸟首而鳖尾，其音如判木。无草木。

又西百里，曰长石之山。无草木，多金、玉。其西有谷焉，名曰共谷，多竹。共水出焉，西南流注于洛，其中多鸣石①。

又西一百四十里，曰傅山。无草木，多瑶碧。厌染之水出于其阳，而南流注于洛，其中多人鱼。其西有林焉，名曰墦冢。穀水出焉，而东流注于洛，其中多珚玉②。

又西五十里，曰橐山。其木多樗，多楠木③，其阳多金、玉，其阴多铁，多萧④。橐水出焉，而北流注于河。其中多脩辟之鱼，状如黾而白喙⑤，其音如鸱，食之已白癣。

又西九十里，曰常烝之山。无草木，多垩。潐水出焉⑥，而东北流注于河，其中多苍玉。菑水出焉⑦，而北流注于河。

又西九十里，曰夸父之山。其木多棕、楠，多竹箭，其兽多柞牛、

---

① 鸣石：一种撞击后传声甚远的石头。
② 珚（yīn）玉：一作"珚（jùn）玉"，一种美玉。
③ 楠（bèi）木：一种落叶灌木或小乔木，有药用价值。
④ 萧：蒿。
⑤ 黾（měng）：一种蛙类动物。
⑥ 潐：音qiáo。
⑦ 菑：音zī。

羬羊，其鸟多鷩，其阳多玉，其阴多铁。其北有林焉，名曰桃林①，是广员三百里，其中多马。湖水出焉，而北流注于河，其中多珚玉。

又西九十里，曰阳华之山。其阳多金、玉，其阴多青雄黄，其草多藷藇，多苦辛②，其状如楸③，其实如瓜，其味酸甘，食之已疟。杨水出焉，而西南流注于洛，其中多人鱼。门水出焉，而东北流注于河，其中多玄䃤④。缟姑之水出于其阴⑤，而东流注于门水，其上多铜。门水出于河⑥，七百九十里入雒水。

凡缟羝山之首，自平逢之山至于阳华之山，凡十四山，七百九十里。岳在其中，以六月祭之，如诸岳之祠法，则天下安宁⑦。

《中次七经》苦山之首，曰休与之山。其上有石焉，名曰帝台之棋⑧，五色而文，其状如鹑卵。帝台之石，所以祷百神者也⑨，服之不

---

① 桃林：即邓林，相传为夸父弃杖而化。

② 苦辛：一作"苦莘"。

③ 楸（qiū）：即楸，种子可入药。

④ 玄䃤（sù）：黑砥石。

⑤ 缟：音jiè。

⑥ "门水"句：水出于河，于理不符，疑为郭注窜入经文，"出"当作"至"。

⑦ "岳在其中"以下数句，与上文不属，疑是他处文字误入，诸家亦无定论。

⑧ 帝台：神人名。棋，指棋子，从下文"如鹑卵"亦可知，此"帝台之石"并非大石，而是小石子。

⑨ "帝台之石"二句：指祷祀诸神用帝台之石。

092

蛊。有草焉，其状如蓍①，赤叶而本丛生，名曰夙条，可以为籥②。

东三百里，曰鼓钟之山，帝台之所以觞百神也。有草焉，方茎而黄华，员叶而三成③，可以为毒。其上多砺，其下多砥。

又东二百里，曰姑媱之山④。帝女死焉，其名曰女尸，化为䔄草⑤，其叶胥成⑥，其华黄，其实如菟丘⑦，服之媚于人⑧。

又东二十里，曰苦山。有兽焉，名曰山膏，其状如逐⑨，赤若丹火，善詈⑩。其上有木焉，名曰黄棘，黄华而员叶，其实如兰，服之不字⑪。有草焉，员叶而无茎，赤华而不实，名曰无条⑫，服之不瘿。

又东二十七里，曰堵山。神天愚居之，是多怪风雨。其上有木焉，

---

① 蓍（shī）：一种草本植物，古人常以之占卜。

② 籥（gān）：同"竿"，这里指箭杆。

③ 成：重。

④ 姑媱（yáo）之山：一作"姑瑶之山"。

⑤ 䔄（yáo）草：即瑶草，传说中的一种仙草。

⑥ 其叶胥成：谓草叶相互重叠。胥，相互。

⑦ 菟丘：即菟丝。

⑧ 媚于人：为人所爱。

⑨ 逐（tún）：通"豚"，猪。

⑩ 詈（lì）：骂。

⑪ 字：孕育。

⑫ 无条：此物与《西山经》"皋涂之山"条中所记的无条为异物而同名。

名曰天楄①，方茎而葵状，服之不噎②。

又东五十二里，曰放皋之山③。明水出焉，南流注于伊水，其中多苍玉。有木焉，其叶如槐，黄华而不实，其名曰蒙木，服之不惑。有兽焉，其状如蜂，枝尾而反舌④，善呼，其名曰文文。

又东五十七里，曰大䖶之山⑤。多瑶珸之玉，多麋玉⑥。有草焉，其状叶如榆，方茎而苍伤⑦，其名曰牛伤，其根苍文，服者不厥⑧，可以御兵。其阳狂水出焉，西南流注于伊水，其中多三足龟，食者无大疾，可以已肿。

【三足龟】

又东七十里，曰半石之山。其上有草焉，生而秀⑨，其高丈余，赤叶赤华，华而不实⑩，其名曰嘉荣，服之者不霆⑪。来需之水出于其阳，

---

① 楄：音pián。

② 噎（yè）：噎，食物堵塞食管。

③ 放：作"牧""效"。

④ 枝尾：尾部分叉。反舌：舌头倒生。

⑤ 䖶：䖶作"苦"。

⑥ 麋玉：即瑂玉，一种似玉的美石。

⑦ 伤：刺。

⑧ 厥：中医病名，表现症状为昏厥或手足逆冷。

⑨ 生而秀：指初生时先开花抽穗，后长叶。

⑩ 华而不实：只开花，不结果。

⑪ 不霆：当作"不畏霆"，意谓不怕霹雳。

而西流注于伊水。其中多鲐鱼①，黑文，其状如鲋，食者不睡②。合水出于其阴，而北流注于洛。多滕鱼③，状如鳜④，居逵⑤，苍文赤尾，食者不痈，可以为瘘⑥。

又东五十里，曰少室之山。百草木成囷⑦。其上有木焉，其名曰帝休，叶状如杨，其枝五衢⑧，黄华黑实⑨，服者不怒。其上多玉，其下多铁。休水出焉，而北流注于洛。其中多䗩鱼，状如蟄蜼而长距⑩，足白而对⑪，食者无蛊疾，可以御兵。

又东三十里，曰泰室之山。其上有木焉，叶状如梨而赤理，其名曰栯木⑫，服者不妒。有草焉，其状如苍，白华黑实，泽如蘡薁⑬，其名曰䔄草，服之不眯⑭。上多美石。

---

① 鲐：音 lún。

② 睡：一作"肿"。

③ 滕：音 téng。

④ 鳜（guì）：一种性凶猛的淡水鱼，味美。

⑤ 逵：水中连通的穴道。

⑥ 瘘（lòu）：一种颈部肿大的病。

⑦ "百草木"句：谓草木屯聚如仓囷（qūn）之形。囷，圆形谷仓。

⑧ 其枝五衢：谓树枝交错，向五个方向伸展，有如衢路。

⑨ 实：一作"叶"。

⑩ 蟄蜼（zhōu wěi）：当作"螯（zhōu）蜼"，一种长尾猿。距：此处指动物之足部。

⑪ 足白而对：谓足白色，而足趾相向。

⑫ 栯：音 yǒu。

⑬ 蘡薁（yīng yù）：即山葡萄，可酿酒并入药。

⑭ 眯：当作"眯"，梦魇。

又北三十里，曰讲山。其上多玉，多柘，多柏。有木焉，名曰帝屋，叶状如椒，反伤赤实①，可以御凶。

又北三十里，曰婴梁之山。上多苍玉，镎于玄石②。

又东三十里，曰浮戏之山。有木焉，叶状如樗而赤实，名曰亢木，食之不蛊③。汜水出焉，而北流注于河。其东有谷，因名曰蛇谷，上多少辛④。

又东四十里，曰少陉之山。有草焉，名曰菵草⑤，叶状如葵而赤茎白华，实如蘡薁，食之不愚。器难之水出焉，而北流注于役水⑥。

又东南十里，曰太山。有草焉，名曰梨，其叶状如荻而赤华⑦，可以已疽⑧。太水出于其阳，而东南流注于役水⑨；承水出于其阴，而东北流注于役⑩。

---

① 反伤：郭璞注云："反刺，刺下勾。"

② 镎于玄石：谓苍玉依黑石而生。

③ 之：一作"者"。

④ 少辛：即细辛，可入药。

⑤ 菵：音 gāng。

⑥ 役水：又作"侵水""没水"。

⑦ 荻（dí）：当作"萩（qiū）"。萩，蒿类植物。

⑧ 疽：痈疽。

⑨ 役水：一作"没水"。

⑩ 役：下疑当增一"水"字。一作"没"。

又东二十里，曰末山①。上多赤金。末水出焉②，北流注于役③。

又东二十五里，曰役山④。上多白金，多铁。役水出焉⑤，北注于河。

又东三十五里，曰敏山。上有木焉，其状如荆，白华而赤实，名曰葪柏⑥，服者不寒。其阳多㻁珢之玉。

又东三十里，曰大騩之山。其阴多铁、美玉、青垩。有草焉，其状如蓍而毛，青华而白实，其名曰薤⑦，服之不夭⑧，可以为腹病。

凡苦山之首，自休与之山至于大騩之山，凡十有九山，千一百八十四里。其十六神者，皆豕身而人面；其祠：毛牷用一羊羞⑨，婴用一藻玉瘗。苦山、少室、太室，皆冢也，其祠之：太牢之具，婴以吉玉。其神状皆人面而三首，其馀属皆豕身人面也。

---

① 末山：一作"沫山"。当在今河南新密一带。

② 末水：一作"沫水"。

③ 役：下疑当增一"水"字。一作"没"。

④ 役山：一作"没山"。

⑤ 役水：一作"没水"。

⑥ 葪（jì）柏：即计柏，柏树的一种。

⑦ 薤（láng）：当作"葋（hěn）"，一种近似蓍草的植物。

⑧ 不夭：不夭折，即可以长寿。

⑨ 羞：进献。

《中次八经》荆山之首，曰景山。其上多金、玉，其木多杼、檀①。雎水出焉，东南流注于江，其中多丹粟，多文鱼②。

东北百里，曰荆山。其阴多铁，其阳多赤金，其中多犛牛③，多豹、虎，其木多松、柏，其草多竹，多橘、櫾④。漳水出焉，而东南流注于雎，其中多黄金，多鲛鱼⑤。其兽多闾麋⑥。

又东北百五十里，曰骄山。其上多玉，其下多青、雘，其木多松、柏，多桃枝、钩端。神鼍围处之⑦，其状如人面⑧，羊角虎爪，恒游于雎漳之渊，出入有光。

【鼍围】

又东北百二十里，曰女几之山。其上多玉，其下多黄金，其兽多豹、虎，多闾、麋、麖、麂，其鸟多白鷮⑨，多翟，多鸩⑩。

---

① 杼（shù）：即柞树。

② 文鱼：有彩色斑纹的鱼。

③ 犛（máo）牛：即牦牛。

④ 櫾（yòu）：即柚。

⑤ 鲛（jiāo）鱼：古谓鲨鱼为鲛鱼。按，鲨鱼无栖息于内陆河流之理，《山海经》所述生物不合常理处甚多，不宜胶柱视之。

⑥ 麋：一作"麈"，音 zhǔ，两者为同一动物之不同称呼。

⑦ 鼍：音 tuó。

⑧ 面：疑为"而"字之误。

⑨ 鷮（jiāo）：一种长尾雉。

⑩ 鸩（zhèn）：传说中鸟名，其羽毛有毒，可制为毒酒。

又东北二百里，曰宜诸之山。其上多金、玉，其下多青、䨼。滽水出焉①，而南流注于漳，其中多白玉。

又东北三百五十里，曰纶山②。其木多梓、楠，多桃枝，多柤、栗、橘、櫾③，其兽多闾、麈、麖、臭④。

又东二百里，曰陆郶之山⑤。其上多㻅珚之玉，其下多垩，其木多杻、橿。

又东百三十里，曰光山。其上多碧，其下多木⑥。神计蒙处之，其状人身而龙首，恒游于漳渊，出入必有飘风暴雨⑦。

【计蒙】

又东百五十里，曰岐山。其阳多赤金，其阴多白珉⑧，其上多金、玉，其下多青、䨼，其木多樗。神涉蠱处之⑨，其状人身而方面三足。

---

① 滽：音 wéi。

② 纶：音 lún。

③ 柤（zhā）：同"楂"，即山楂树。

④ 臭（chuò）：一种似兔而大之兽，青色。

⑤ 郶：音 guǐ。

⑥ 木：当作"水"。

⑦ 飘风：旋风；暴风。

⑧ 珉（mín）：一种似玉的美石。

⑨ 涉蠱：一作"涉䟦（tuó）"。

又东百三十里，曰铜山。其上多金、银、铁，其木多榖、柞、柤、栗、橘、櫾，其兽多豹。

又东北一百里，曰美山。其兽多兕牛，多闾、麈，多豕、鹿，其上多金，其下多青、雘。

又东北百里，曰大尧之山。其木多松、柏，多梓、桑，多机[1]，其草多竹，其兽多豹、虎、麝、莫。

又东北三百里，曰灵山。其上多金、玉，其下多青、雘，其木多桃、李、梅、杏。

又东北七十里，曰龙山。上多寓木[2]，其上多碧，其下多赤锡，其草多桃枝、钩端。

又东南五十里，曰衡山。上多寓木、榖、柞，多黄垩白垩。

又东南七十里，曰石山。其上多金，其下多青、雘，多寓木。

又南百二十里，曰若山。其上多琈玗之玉，多赭，多邽石[3]，多寓木，多柘。

---

① 机：即机木。
② 寓木：一种寄生在树木上的植物。
③ 邽（guī）石：当作"封石"。

又东南一百二十里，曰崾山。多美石，多柘。

又东南一百五十里，曰玉山。其上多金、玉，其下多碧、铁，其木多柏。

又东南七十里，曰灌山。其木多檀，多邽石，多白锡。郁水出于其上，潜于其下，其中多砥砺。

又东北百五十里，曰仁举之山。其木多穀、柞，其阳多赤金，其阴多赭。

又东五十里，曰师每之山。其阳多砥砺，其阴多青、腹，其木多柏，多檀，多柘，其草多竹。

又东南二百里，曰琴鼓之山。其木多穀、柞、椒、柘①，其上多白珉，其下多洗石，其兽多豕、鹿，多白犀，其鸟多鸩。

凡荆山之首，自景山至琴鼓之山，凡二十三山，二千八百九十里。其神状皆鸟身而人面。其祠：用一雄鸡祈瘗，用一藻圭②，糈用稌。骄山，冢也，其祠：用羞酒、少牢祈瘗，婴毛一璧③。

---

① 椒：花椒。
② "用"字前疑脱一"婴"字。
③ 毛：当作"用"。

《中次九经》岷山之首，曰女几之山。其上多石涅，其木多杻、橿，其草多菊、苏。洛水出焉，东注于江，其中多雄黄。其兽多虎、豹。

又东北三百里，曰岷山。江水出焉，东北流注于海，其中多良龟，多鼍①。其上多金、玉，其下多白珉，其木多梅、棠，其兽多犀、象，多夔牛②，其鸟多翰、鳖。

又东北一百四十里，曰崃山。江水出焉，东流注大江③。其阳多黄金，其阴多麋、麈，其木多檀、柘，其草多薤、韭，多药、空夺④。

又东一百五十里，曰崌山。江水出焉，东流注于大江，其中多怪蛇，多蟄鱼⑤。其木多楢、杻⑥，多梅、梓，其兽多夔牛、羬、臭、犀、兕。有鸟焉，状如鸮而赤身白首，其名曰窃脂，可以御火。

又东三百里，曰高梁之山。其上多垩，其下多砥砺，其木多桃枝、钩端。有草焉，状如葵而赤华、荚实、白柎，可以走马。

---

① 鼍（tuó）：即今之扬子鳄，俗称猪婆龙。

② 夔（kuí）牛：又称犪（kuí）牛、犤（wéi）牛，据郭璞注，是一种栖息于四川山地的大型牛类。

③ "注"下当脱一"于"字。

④ 药：指白芷。空夺：即寇脱。两者分别见上文《西次三经》及《中次五经》。

⑤ 蟄（zhì）鱼：不详何鱼。

⑥ 楢（yóu）：一种落叶乔木，木材坚韧，可作车轮。

又东四百里，曰蛇山。其上多黄金，其下多垩，其木多枸，多豫、章，其草多嘉荣、少辛。有兽焉，其状如狐而白尾长耳，名㹠狼[1]，见则国内有兵。

又东五百里，曰鬲山。其阳多金，其阴多白珉。蒲鸐之水出焉[2]，而东流注于江，其中多白玉。其兽多犀、象、熊、罴，多猨、蜼[3]。

又东北三百里，曰隅阳之山。其上多金、玉，其下多青、雘，其木多梓、桑，其草多茈。徐之水出焉，东流注于江，其中多丹粟。

又东二百五十里，曰岐山。其上多白金，其下多铁，其木多梅、梓，多杻、楢。减水出焉，东南流注于江。

又东三百里，曰勾称之山[4]。其上多玉，其下多黄金，其木多栎、柘，其草多芍药。

又东一百五十里，曰风雨之山。其上多白金，其下多石涅，其木多椒、𣗙[5]，多杨。宣余之水出焉，东流注于江，其中多蛇。其兽多

---

① 㹠：音 shì。

② 鸐：音 hōng。

③ 猨：同"猿"。蜼：音 wèi，一种长尾猴类，相传鼻孔朝天，下雨时则用尾巴塞住鼻孔。

④ 称：音 mí。

⑤ 椒（zōu）、𣗙（shàn）：两种树。椒，不详何树。𣗙，一种木质坚硬、白色纹理之树。

闾、麋，多麈、豹、虎①，其鸟多白鷮。

又东北二百里，曰玉山。其阳多铜，其阴多赤金，其木多豫、章、楢、杻，其兽多豕、鹿、麢、㸲，其鸟多鸲。

又东一百五十里，曰熊山。有穴焉，熊之穴，恒出入神人，夏启而冬闭。是穴也，冬启乃必有兵。其上多白玉，其下多白金，其木多樗、柳，其草多寇脱。

又东一百四十里，曰騩山。其阳多美玉、赤金，其阴多铁，其木多桃枝、荆、芑②。

又东二百里，曰葛山。其上多赤金，其下多瑊石③，其木多柤、栗、橘、櫾、楢、杻，其兽多麢、㸲，其草多嘉荣。

又东一百七十里，曰贾超之山。其阳多黄垩，其阴多美赭，其木多柤、栗、橘、櫾，其中多龙脩④。

凡岷山之首，自女几山至于贾超之山，凡十六山，三千五百里。

---

① "其兽"二句：当作"其兽多闾、麋、麈，多豹、虎"。
② 芑：当作"芑"。"芑"，通"杞"。
③ 瑊（jiān）石：一种似玉的坚石。
④ 龙脩：一种多年生草本植物，又名"龙须草"，可用以织席；相传为黄帝乘龙升天时，忠臣握住龙须，龙须掉落而化。

其神状皆马身而龙首。其祠：毛用一雄鸡瘗，糈用稌。文山、勾㭹、风雨、騩之山①，是皆冢也，其祠之：羞酒，少牢具，婴毛一吉玉②。熊山，席也③，其祠：羞酒，太牢具，婴毛一璧。干儛，用兵以禳；祈，璆冕舞④。

《中次十经》之首，曰首阳之山。其上多金、玉，无草木。

又西五十里，曰虎尾之山。其木多椒、椐，多封石⑤，其阳多赤金，其阴多铁。

【跂踵】

又西南五十里，曰繁缋之山⑥。其木多楢、杻，其草多枝、勾⑦。

又西南二十里，曰勇石之山。无草木，多白金，多水。

又西二十里，曰复州之山。其木多檀，其阳多黄金。有鸟焉，其

---

① 文山：即岷山。

② 毛：当作"用"。下文"婴毛一璧"的"毛"同此。

③ 席：当作"帝"。

④ "干儛"以下意为：袚除灾祸之祭礼，则持盾以舞；祈求福泽之祭礼，则戴冕持美玉以舞。禳，指袚除灾祸。璆，音qiú，美玉。

⑤ 封石：石之一种，味甘，无毒。

⑥ 缋：音huì。

⑦ 枝、勾：即桃枝、钩端。

状如鸮而一足彘尾①，其名曰跂踵，见则其国大疫。

又西三十里，曰楮山②。多寓木，多椒、椐，多柘，多垩。

又西二十里，曰又原之山。其阳多青、䰠，其阴多铁，其鸟多鸜鹆③。

又西五十里，曰涿山。其木多榖、柞、杻，其阳多㻬琈之玉。

又西七十里，曰丙山。其木多梓、檀，多弞杻④。

凡首阳山之首，自首山至于丙山，凡九山，二百六十七里。其神状皆龙身而人面。其祠之：毛用一雄鸡瘗，糈用五种之糈。堵山，冢也，其祠之：少牢具，羞酒祠，婴毛一璧瘗⑤。騩山，帝也，其祠：羞酒，太牢其⑥，合巫祝二人儛⑦，婴一璧。

---

① 鸮：一作"鸡"。

② 楮山：一作"渚州之山"。

③ 鸜鹆（qú yù）：即鸲鹆，八哥。

④ 弞（shěn）：颀长。

⑤ 毛：当作"用"。

⑥ 其：当作"具"。

⑦ 巫：迷信说法中指通鬼神之人。祝：指祭祀活动中主持之人。两者常连用以合称执掌占卜祭祀之人。

《中次一十一山经》荆山之首①，曰翼望之山。湍水出焉②，东流注于济。贶水出焉③，东南流注于汉，其中多蛟④。其上多松、柏，其下多漆、梓，其阳多赤金，其阴多珉。

又东北一百五十里，曰朝歌之山。沅水出焉⑤，东南流注于荥，其中多人鱼。其上多梓、楠，其兽多麢、麋。有草焉，名曰莽草⑥，可以毒鱼。

又东南二百里，曰帝囷之山。其阳多瑸珛之玉，其阴多铁。帝囷之水出于其上，潜于其下，多鸣蛇⑦。

又东南五十里，曰视山。其上多韭。有井焉，名曰天井，夏有水，冬竭。其上多桑，多美垩、金、玉。

又东南二百里，曰前山。其木多櫧⑧，多柏，其阳多金，其阴多赭。

---

① 《中次一十一山经》：依《山海经》体例，当作《中次十一经》，第一个"一"字、"山"字为衍字。

② 湍：音 zhuān。

③ 贶：音 kuàng。

④ 蛟：或指无角之龙，或指鳄之类的动物。

⑤ 沅：音 wǔ。

⑥ 莽草：即芒草。参见《中次二经》"葌山"条。

⑦ 鸣蛇：见《中次二经》"鲜山"条。

⑧ 櫧（zhū）：一种常绿乔木，木质坚硬，可制器具。

又东南三百里，曰丰山。有兽焉，其状如猨[1]，赤目，赤喙，黄身，名曰雍和，见则国有大恐。神耕父处之，常游清泠之渊，出入有光，见则其国为败。有九钟焉，是知霜鸣[2]。其上多金，其下多榖、柞、杻、橿。

又东北八百里，曰兔床之山。其阳多铁，其木多蒣荂[3]，其草多鸡榖，其本如鸡卵，其味酸甘，食者利于人。

又东六十里，曰皮山。多垩，多赭，其木多松、柏。

又东六十里，曰瑶碧之山。其木多梓、楠，其阴多青、䇺，其阳多白金。有鸟焉，其状如雉，恒食蜚[4]，名曰鸩[5]。

又东四十里，曰支离之山[6]。济水出焉[7]，南流注于汉。有鸟焉，其名曰婴勺，其状如鹊，赤目，赤喙，白身，其尾若勺[8]，其鸣自呼。多㸲牛，多羬羊。

---

① 猨：同"猿"。

② 知：当作"和"，谓霜降之时，九钟应和而鸣。

③ 蒣荂：同"薯蓣"，即山药。但山药是草本植物，而非木本植物，故疑"蒣荂"当作"楮芋"。芋，小栗树。

④ 蜚（fēi）：一种小型飞行害虫。

⑤ 鸩：与《中次八经》"女几山"条中所载食蛇的鸩为同名异鸟。

⑥ 支离之山：一作"攻离之山"。

⑦ 济水：当作"清水"。

⑧ 勺：指酒勺。

又东北五十里，曰袟篙之山①。其上多松、柏、机柏②。

又西北一百里，曰菫理之山③。其上多松、柏，多美梓，其阴多丹膔，多金，其兽多豹、虎。有鸟焉，其状如鹊，青身白喙，白目白尾，名曰青耕，可以御疫，其鸣自叫。

又东南三十里，曰依轱之山④。其上多杻、橿，多苴⑤。有兽焉，其状如犬，虎爪有甲，其名曰獜⑥，善駚牟⑦，食者不风⑧。

又东南三十五里，曰即谷之山。多美玉，多玄豹⑨，多闾、麈，多麢、臭，其阳多珉，其阴多青、膔。

又东南四十里，曰鸡山。其上多美梓，多桑，其草多韭。

又东南五十里，曰高前之山。其上有水焉，甚寒而清，帝台之浆

---

① 袟篙：音 zhì diāo。
② 机柏：当作"机桓"。机桓即无患子，一种落叶乔木，可制肥皂。
③ 菫：音 jǐn。
④ 轱：音 gū。
⑤ 苴：疑通"柤"。
⑥ 獜：音 lìn。
⑦ 駚牟（yǎng fèn）：跳跃。
⑧ 不风：不畏风。
⑨ 玄豹：黑豹。

也①，饮之者不心痛。其上有金，其下有赭。

又东南三十里，曰游戏之山。多柤、栗、榖，多玉，多封石。

又东南三十五里，曰从山。其上多松、柏，其下多竹。从水出于其上，潜于其下，其中多三足鳖，枝尾②，食之无蛊疫。

又东南三十里，曰婴硬之山③。其上多松、柏，其下多梓、櫄。

又东南三十里，曰毕山。帝苑之水出焉，东北流注于视④，其中多水玉，多蛟。其上多㻬珡之玉。

又东南二十里，曰乐马之山。有兽焉，其状如彚，赤如丹火，其名曰狼⑤，见则其国大疫。

又东南二十五里，曰葳山⑥。视水出焉⑦，东南流注于汝水，其中多人鱼，多蛟，多颉⑧。

---

① 浆：一作"浆水"。

② 枝尾：尾部分叉。

③ 硬：音 zhēn。

④ 视：河流名。或曰当作"瀙（qìn）"。

⑤ 狼：音 lì。

⑥ 葳：音 zhēn。

⑦ 视水：或曰当作"瀙水"。

⑧ 颉（xié）：兽名。似青狗。

又东四十里，曰婴山。其下多青、雘，其上多金、玉。

又东三十里，曰虎首之山。多苴、椆、椐[①]。

又东二十里，曰婴侯之山。其上多封石，其下多赤锡。

又东五十里，曰大孰之山。杀水出焉，东北流注于视水[②]，其中多白垩。

又东四十里，曰卑山。其上多桃、李、苴、梓，多累[③]。

又东三十里，曰倚帝之山。其上多玉，其下多金。有兽焉，其状如鼣鼠[④]，白耳白喙，名曰狙如，见则其国有大兵。

又东三十里，曰鲵山。鲵水出于其上，潜于其下，其中多美垩。其上多金，其下多青、雘。

又东三十里，曰雅山。澧水出焉，东流注于视水[⑤]，其中多大鱼。其上多美桑，其下多苴，多赤金。

---

① 椆（chóu）：一种耐寒之树木。

② 视水：或曰当作“溉水”。

③ 累：通“藟”，藤。

④ 鼣（fèi）鼠：一种鼠类动物。

⑤ 视水：或曰当作“溉水”。

又东五十五里，曰宣山。沦水出焉，东南流注于视水①，其中多蛟。其上有桑焉，大五十尺②，其枝四衢③，其叶大尺余，赤理，黄华，青柎，名曰帝女之桑④。

又东四十五里，曰衡山。其上多青、雘，多桑，其鸟多鸜鹆。

又东四十里，曰丰山。其上多封石，其木多桑，多羊桃，状如桃而方茎，可以为皮张⑤。

又东七十里，曰妪山。其上多美玉，其下多金，其草多鸡谷。

又东三十里，曰鲜山。其木多楢、杻、苴，其草多亹冬，其阳多金，其阴多铁。有兽焉，其状如膜大⑥，赤喙，赤目，白尾，见则其邑有火，名曰狪即⑦。

又东三十里，曰章山⑧。其阳多金，其阴多美石。皋水出焉，东流

---

① 视水：或曰当作"灖水"。
② 大五十尺：指树围有五丈。
③ 其枝四衢：谓其枝条交叉着向四面八方伸出。
④ 帝女之桑：据《太平御览》卷九二一引《广异记》：南方赤帝之女得道成仙，居住在南阳崿山之桑树上，赤帝点火焚烧桑树，其女即升天而去。
⑤ 张：肿胀。
⑥ 膜大：当作"膜犬"，一种西域犬之，高大凶猛。
⑦ 狪：音yí。
⑧ 章山：当作"皋山"。

112

注于澧水，其中多脃石①。

又东二十五里，曰大支之山。其阳多金，其木多穀、柞，无草木②。

又东五十里，曰区吴之山。其木多苴。

又东五十里，曰声匈之山。其木多穀，多玉，上多封石。

又东五十里，曰大騩之山③。其阳多赤金，其阴多砥石。

又东十里，曰踵臼之山④。无草木。

又东北七十里，曰历石之山⑤。其木多荆、芑，其阳多黄金，其阴多砥石。有兽焉，其状如貍而白首虎爪，名曰梁渠，见则其国有大兵。

又东南一百里，曰求山。求水出于其上，潜于其下，中有美赭。其木多苴，多䉋⑥，其阳多金，其阴多铁。

---

① 脃（cuì）：通“脆”。

② 木：此字疑为衍字。

③ 大騩之山：此山与《中次七经》中的大騩之山为同名异山。

④ 踵臼之山：一作“踵臼之山”。

⑤ 历石之山：一作“磨石之山”。

⑥ 䉋（mèi）：一种可制箭的竹子。

又东二百里，曰丑阳之山。其上多椆、椐。有鸟焉，其状如乌而赤足，名曰䴔鵌^①，可以御火。

又东三百里，曰奥山。其上多柏、檀、杻，其阳多㻬琈之玉。奥水出焉，东流注于视水^②。

又东三十五里，曰服山。其木多苴，其上多封石，其下多赤锡。

又东百十里^③，曰杳山。其上多嘉荣草，多金、玉。

又东三百五十里，曰凡山^④。其木多楢、檀、杻，其草多香^⑤。有兽焉，其状如彘，黄身，白头，白尾，名曰闻獜^⑥，见则天下大风。

凡荆山之首，自翼望之山至于凡山^⑦，凡四十八山，三千七百三十二里。其神状皆彘身人首。其祠：毛用一雄鸡祈^⑧，瘗用一珪，糈用五

---

① 䴔鵌：音 zhǐ tú。
② 视水：或曰当作"溉水"。
③ 百十里：一作"三百里"。
④ 凡山：一作"几山"。
⑤ 香：指草之种类以香草为多。
⑥ 闻獜（lín）：一作"闻㻏"。
⑦ 凡山：一作"几山"。
⑧ 祈：通"鬾"。

种之精①。禾山②，帝也，其祠：太牢之具，羞瘗，倒毛③，用一璧，牛无常④。堵山、玉山⑤，冢也，皆倒祠⑥，羞毛少牢⑦，婴毛吉玉⑧。

《中次十二经》洞庭山之首，曰篇遇之山⑨。无草木，多黄金。

又东南五十里，曰云山。无草木，有桂竹，甚毒，伤人必死⑩。其上多黄金，其下多琈珉之玉。

又东南一百三十里，曰龟山。其木多穀、柞、椆、椐，其上多黄金，其下多青雄黄，多扶竹⑪。

又东七十里，曰丙山。多筀竹⑫，多黄金、铜、铁，无木。

---

① 糈用五种之精：谓用五种精米祭神。
② 禾山：上文无禾山，可能是"帝囷山"之脱文，也可能是"求山"之误文。
③ "羞瘗"二句：谓将祭献后的牺牲掩埋。
④ 牛无常：谓有时用牛，有时不用牛。
⑤ 堵山、玉山：玉山见《中次十经》，玉山见《中次八经》和《中次九经》，《中次一十一山经》中并无此二山，不知为何山之误。
⑥ 倒祠：倒毛而祭祀。
⑦ 毛：当作"用"。
⑧ 毛：当作"用"。
⑨ 篇遇之山：一作"肩遇之山"。
⑩ 桂竹：因生于桂阳而得名。
⑪ 扶竹：又叫扶老竹、邛竹，可做杖。
⑫ 筀竹：即上文所说的桂竹。

又东南五十里，曰风伯之山[1]。其上多金、玉，其下多疫石、文石[2]，多铁，其木多柳、杻、檀、楮。其东有林焉，名曰莽浮之林，多美木鸟兽。

又东一百五十里，曰夫夫之山[3]。其上多黄金，其下多青雄黄，其木多桑、楮，其草多竹、鸡鼓[4]。神于儿居之[5]，其状人身而身操两蛇[6]，常游于江渊，出入有光。

又东南一百二十里，曰洞庭之山。其上多黄金，其下多银、铁，其木多柤、梨、橘、櫾，其草多葌、麋芜、芍药、芎䓖。帝之二女居之[7]，是常游于江渊。澧沅之风，交潇湘之渊，是在九江之间，出入必以飘风暴雨。是多怪神，状如人而载蛇[8]，左右手操蛇。多怪鸟。

又东南一百八十里，曰暴山。其木多棕、楠、荆、芑、竹、箭、䉋、箘[9]，其上多黄金、玉，其下多文石、铁，其兽多麋、鹿、

---

① 风伯之山：一作"凤伯之山"。

② 疫（suān）石：不详何石。

③ 夫夫之山：一作"大夫之山"。

④ 鸡鼓：即上文所说的鸡榖草。

⑤ 儿：音 ní。

⑥ 身：疑当作"手"。

⑦ 帝之二女：指传说中尧之二女娥皇、女英，两人皆嫁于舜。

⑧ 载蛇：戴蛇，头上顶着蛇。"载"与"戴"相通。

⑨ 箘（jùn）：一种可制箭的竹子。

麚、就①。

又东南二百里，曰即公之山②。其上多黄金，其下多琚㻬之玉，其木多柳、杻、檀、桑。有兽焉，其状如龟而白身赤首，名曰蜼③，是可以御火。

又东南一百五十九里，曰尧山。其阴多黄垩，其阳多黄金，其木多荆、芑、柳、檀，其草多藷藇、茶。

又东南一百里，曰江浮之山。其上多银、砥砺，无草木，其兽多豕、鹿。

又东二百里④，曰真陵之山⑤。其上多黄金，其下多玉，其木多榖、柞、柳、杻⑥，其草多荣草。

又东南一百二十里，曰阳帝之山。多美铜，其木多橿、杻、㯠、楮⑦，其兽多䴥、麝。

---

① 麚（jǐ）：即麂，一种小型鹿类动物。就：通"鹫"，雕一类的猛禽。"就"字之上，王念孙校增"其鸟多"三字。
② 即公之山：一作"即山"。
③ 蜼：音guǐ。
④ 东：一作"东南"。
⑤ 真陵之山：一作"直陵之山"。
⑥ 榖：当作"榖"。
⑦ 㯠（yǎn）：即山桑。

117

又南九十里，曰柴桑之山。其上多银，其下多碧，多泠石、赭①，其木多柳、芑、楮、桑，其兽多麋、鹿，多白蛇、飞蛇②。

又东二百三十里③，曰荣余之山。其上多铜，其下多银，其木多柳、芑，其虫多怪蛇怪虫。

凡洞庭山之首，自篇遇之山至于荣余之山，凡十五山，二千八百里。其神状皆鸟身而龙首。其祠：毛用一雄鸡、一牝豚刉④，糈用稌。凡夫夫之山、即公之山、尧山、阳帝之山，皆冢也，其祠：皆肆瘗⑤，祈用酒，毛用少牢，婴毛一吉玉⑥。洞庭、荣余山，神也，其祠：皆肆瘗，祈酒太牢祠，婴用圭璧十五，五采惠之⑦。

右中经之山志，大凡百九十七山，二万一千三百七十一里。大凡天下名山五千三百七十，居地，大凡六万四千五十六里。

禹曰⑧：天下名山，经五千三百七十山⑨，六万四千五十六里，居

---

① 泠石：当作"泠石"。参见《中次四经》"釐山"条注。
② 飞蛇：即螣（téng）蛇，传说中一种乘雾而飞的蛇。
③ 东：一作"东南"。
④ 刉（jī）：也作"刏"，切割。
⑤ 肆瘗：谓陈列牲、玉后埋掉。肆，陈列。
⑥ 毛：当作"用"。
⑦ 惠：通"绘"，装饰。
⑧ 禹曰：《山海经》系古人假托大禹所作，"禹曰"也为古人假托大禹之言。
⑨ 经：经过。

地也。言其五藏①，盖其余小山甚众，不足记云。天地之东西二万八千里，南北二万六千里，出水之山者八千里，受水者八千里，出铜之山四百六十七，出铁之山三千六百九十②，此天地之所分壤树穀也，戈矛之所发也，刀铩之所起也③。能者有余，拙者不足④。封于太山，禅于梁父，七十二家⑤，得失之数，皆在此内，是谓国用。

右《五藏山经》五篇，大凡一万五千五百三字。

---

① 五藏：《汉书·食货志》云："山海，天地之藏。"故《山海经》这五篇山经称为《五藏山经》。藏，古又作"臧"。

② 三千六百九十：一作"三千六百九"，无"十"字。

③ 铩（shā）：古代一种矛类兵器。

④ "能者"二句：一作"俭则有余，奢则不足"。

⑤ "封于"三句：《管子·封禅》《管子·地数》皆有此言，谓是管仲对齐桓公语。

地之所载①，六合之间②，四海之内，照之以日月，经之以星辰，纪之以四时，要之以太岁③，神灵所生，其物异形④，或夭或寿，唯圣人能通其道⑤。

海外自西南陬至东南陬者⑥。

结匈国在其西南⑦，其为人结匈。

南山在其东南。自此山来，虫为蛇，蛇号为鱼⑧。一曰南山在结匈

---

① 载：承载，承受。

② 六合：东西南北上下，泛指天地。

③ 要之以太岁：谓以太岁所在的位置来矫正天时。要，矫正。太岁，古代天文学所假定的岁星。

④ 其物异形：《列子·汤问》引作"其物其形"，与下文的"或夭或寿"相对，当从之。

⑤ "神灵所生"以下数句：神灵所生万物，其形状、寿命各不相同，唯有圣人能理解其中道理。

⑥ 陬（zōu）：隅，角落。

⑦ 结匈国：《海经》多以某国之民众特征为名，指称其国。结匈，谓胸部向前突出，即鸡胸。其：指海外。

⑧ "虫为蛇"二句：谓称虫为蛇，而称蛇为鱼。

东南①。

比翼鸟在其东②，其为鸟青、赤，两鸟比翼。
一曰在南山东。

【羽民国】

羽民国在其东南③，其为人长头，身生羽。
一曰在比翼鸟东南，其为人长颊④。

有神人二八⑤，连臂，为帝司夜于此野⑥。在羽民东，其为人小颊
赤肩。尽十六人⑦。

【讙头国】

毕方鸟在其东⑧，青水西⑨，其为鸟人面一
脚。一曰在二八神东。

讙头国在其南⑩，其为人人面有翼，鸟喙，

---

① "一曰"句：《海经》内"一曰"云云文字，当是刘歆校书之注，至郭璞注书时已窜入
　正文。

② 比翼鸟：即《西山经·西次三经》"崇吾之山"条中所载的蛮蛮。

③ 羽民：据郭注，乃卵生之人，能飞但飞行距离不远。

④ 颊：面颊。

⑤ 二八：十六个。

⑥ 司夜：守夜。

⑦ 尽十六人：疑为窜入经文之注语。

⑧ 毕方鸟：参见《西山经·西次三经》"章莪之山"条。

⑨ 青水：可参见《海内西经》。

⑩ 讙头：相传为尧时大臣，有罪自投南海而死；尧出于怜悯，使其子于南海奉祭之。

方捕鱼。一曰在毕方东。或曰讙朱国。

厌火国在其国南①，兽身黑色，生火出其口中②。一曰在讙朱东。

【厌火国】

三株树在厌火北③，生赤水上，其为树如柏，叶皆为珠。一曰其为树若彗④。

三苗国在赤水东⑤，其为人相随。一曰三毛国。

载国在其东，其为人黄，能操弓射蛇。一曰载国⑥，在三毛东。

【贯匈国】

贯匈国在其东⑦，其为人匈有窍⑧。一曰在载国东。

---

①厌：通"餍"，饱食。

②生：此字当为衍字。

③三株树：当作"三珠树"。

④彗：扫帚。

⑤三苗国：据郭璞注，三苗之君因反对尧禅位于舜而被杀，三苗国乃其遗民所立。

⑥载国：当作"盛国"。

⑦匈：通"胸"。

⑧窍：孔。

交胫国在其东，其为人交胫①。一曰在穿匈东②。

【交胫国】

不死民在其东③，其为人黑色，寿，不死。一曰在穿匈国东。

岐舌国在其东④。一曰在不死民东。

昆仑虚在其东⑤，虚四方⑥。一曰在岐舌东，为虚四方。

羿与凿齿战于寿华之野⑦，羿射杀之。在昆仑虚东。羿持弓矢，凿齿持盾⑧，一曰戈⑨。

【三首国】

三首国在其东，其为人一身三首。一曰在凿齿东。

---

① 交胫：指小腿弯曲交叉。

② 穿匈：即贯匈国。

③ 不死民：据郭璞注，此不死民乃是食不死树（之果）、饮赤泉之水，而得不死不老。

④ 岐舌：即枝舌，指舌头分成几股。

⑤ 昆仑：古凡高山皆可称"昆仑"，此处之昆仑乃是海上仙山。

⑥ 虚：山的底部。

⑦ 羿（yì）：神名，与同样善射的夏朝君主羿非一人。凿齿，一说为人名，一说为兽名；羿杀凿齿正是其铲凶除恶诸伟业中之一件。

⑧ 持盾：一作"持戟盾"。

⑨ 一曰戈：谓"盾"一作"戈"。

123

周饶国在其东①，其为人短小，冠带。一曰焦侥国，在三首东。

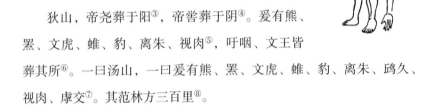

【长臂国】

长臂国在其东②，捕鱼水中，两手各操一鱼。一曰在焦侥东，捕鱼海中。

狄山，帝尧葬于阳③，帝喾葬于阴④。爰有熊、罴、文虎、蜼、豹、离朱、视肉⑤，吁咽、文王皆葬其所⑥。一曰汤山，一曰爰有熊、罴、文虎、蜼、豹、离朱、鸱久、视肉、虖交⑦。其范林方三百里⑧。

南方祝融⑨，兽身人面，乘两龙。

---

① 周饶，又作"焦侥""僬侥"，皆"侏儒"之声转。周饶国，即小人国。

② 长臂国：据郭璞注，其人手臂长两三丈，下垂及地。

③ 狄山：《墨子》云："尧北教八狄，道死，葬蛩（qióng）山之阴。"狄山当即此蛩山。至于尧所葬究竟是否在北狄之山，山阴或是山阳，皆古神话流传不一之处，不必细究。

④ 帝喾（kù）：传说中"五帝"之一。

⑤ 文虎：一种斑纹鲜明之虎。离朱：一种赤色神鸟。视肉：传说中一种割肉可复生之生物，形如牛肝而有两目。

⑥ 吁咽：人名，不详。

⑦ 鸱（chī）久：即鸲（gōu）鹠，猫头鹰的一种。虖交：郝懿行认为即上文之"吁咽"，若如此，则此"一曰"异文中，吁咽便非人名，而是与离朱、视肉等同属怪兽。

⑧ 其：当为"有"字之讹。范林：当作"泛林"。

⑨ 祝融：传说中之火神。

海外自西南陬至西北陬者。

灭蒙鸟在结匈国北[1]，为鸟青，赤尾。

大运山高三百仞，在灭蒙鸟北。

大乐之野，夏后启于此儛《九代》[2]，乘两龙，云盖三层[3]。左手操翳[4]，右手操环[5]，佩玉璜[6]。在大运山北。一曰大遗之野。

【三身国】

三身国在夏后启北，一首而三身。

一臂国在其北，一臂一目一鼻孔。有黄马

---

① 灭蒙鸟：郝懿行引《博物志》，认为灭蒙鸟为结匈国所有。

② 后：君主。启：大禹之子，夏朝建立者。《九代》：乐曲名。

③ 层：重。

④ 翳（yì）：羽毛做的华盖。

⑤ 环：玉璧。

⑥ 璜（huáng）：半璧。

虎文，一目而一手①。

奇肱之国在其北②，其人一臂三目，有阴有阳，乘文马。有鸟焉，两头，赤黄色，在其旁。

【奇肱国】

形天与帝至此争神③，帝断其首，葬之常羊之山，乃以乳为目，以脐为口，操干戚以舞④。

女祭、女戚在其北，居两水间，戚操鱼䱇⑤，祭操俎⑥。

鸱鸟、鶬鸟⑦，其色青黄，所经国亡。在女祭北。鸱鸟人面，居山上。一曰维鸟，青鸟、黄鸟所集。

【形天】

丈夫国在维鸟北⑧，其为人衣冠带剑。

---

① 手：此处指马之前腿。

② 奇肱（jī gōng）之国：其人善于制作机械。奇，单；肱，上臂。

③ 形天：神名。又作"形夭""刑夭""刑天"等。袁珂认为，"形天"为形体不全，"刑天"受刑之天神，二名皆通。至此：此二字当为衍字。

④ 干戚：盾与斧。

⑤ 鱼䱇（shàn）：当作"角䱇"。角䱇是鳝鱼的一种。

⑥ 俎：肉案。

⑦ 鸱（cì）鸟、鶬（dǎn）鸟：郭璞认为属于猫头鹰一类不祥之鸟。

⑧ 丈夫国：据郭璞注，丈夫国之民乃男性单性繁殖，子从父身体中降生，子诞则父死。

女丑之尸，生而十日炙杀之。在丈夫北。以右手鄣其面①。十日居上，女丑居山之上。

巫咸国在女丑北，右手操青蛇，左手操赤蛇，在登葆山，群巫所从上下也②。

并封在巫咸东③，其状如彘，前后皆有首，黑。

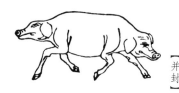

【并封】

女子国在巫咸北，两女子居，水周之④。一曰居一门中。

轩辕之国在此穷山之际⑤，其不寿者八百岁。在女子国北。人面蛇身，尾交首上。

穷山在其北，不敢西射，畏轩辕之丘⑥。在轩辕国北。其丘方，四蛇相绕⑦。

---

① 鄣（zhàng）：同"障"，遮蔽。

② 上下：一说，谓上下于山间以采药；一说，为上通天意，下达民情。

③ 并封：即《大荒西经》所云"屏蓬"。

④ 周：环绕。

⑤ 此：《太平御览》卷七九〇所引无"此"字，当为衍字。

⑥ 轩辕之丘：参见《西山经·西次三经》。

⑦ 四蛇相绕：谓四蛇环卫此丘。

此诸夭之野^①，鸾鸟自歌，凤鸟自舞。凤皇卵，民食之；甘露，民饮之，所欲自从也^②。百兽相与群居。在四蛇北。其人两手操卵食之，两鸟居前导之。

龙鱼陵居在其北^③，状如貍^④。一曰鰕^⑤。即有神圣乘此以行九野^⑥。一曰鳖鱼，在夭野北，其为鱼也如鲤。

白民之国在龙鱼北，白身被发^⑦。有乘黄^⑧，其状如狐，其背上有角，乘之寿二千岁^⑨。

【乘黄】

肃慎之国在白民北，有树名曰雄常^⑩，先入伐帝，于此取之^⑪。

---

① 此诸夭之野："此"为衍字。诸夭之野，当作"诸沃之野"。

② "所欲"句：谓愿望皆能自然满足。

③ 陵居：居住于高地。

④ 貍：当为"鲤"字之讹。

⑤ 鰕（xiā）：大鲵。

⑥ 九野：九州疆域。

⑦ 被：通"披"。

⑧ 乘黄：又名飞黄，传说黄帝乘而升仙。

⑨ 二千岁：一作"三千岁"。

⑩ 雄常：一作"雒棠"。

⑪ "先入"二句：当作"圣人代立，于此取衣"，谓取此树皮以制衣。

长股之国在雄常北①，被发。一曰长脚。

西方蓐收，左耳有蛇，乘两龙。

【长股国】

【蓐收】

---

① 股：大腿。据郭璞注，长脚人常背负长臂人入海捕鱼。

海外自东北陬至西北陬者。

无脊之国在长股东①，为人无脊。

钟山之神名曰烛阴②，视为昼，瞑为夜，吹为冬，呼为夏，不饮，不食，不息，息为风③，身长千里④。在无脊之东。其为物人面蛇身，赤色，居钟山下。

【无脊国】

【烛阴】

---

① 无脊（qǐ）之国：据郭璞注，其国民不分男女，以土为食，死后其心不朽，埋入土中120年后自然复生。脊，一说为小腿肚；一说通"启"，无启为无嗣。

② 钟山：神话传说中北方不见日的寒山。烛阴：即《大荒北经》中所说的烛龙。

③ 息：气息。

④ 千里：一作"三千里"。

一目国在其东，一目中其面而居。一曰有手足①。

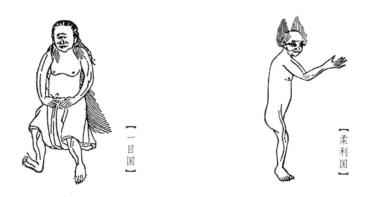

【一目国】　　　【柔利国】

柔利国在一目东②，为人一手一足，反䣛③，曲足居上④。一云留利之国，人足反折⑤。

共工之臣曰相柳氏⑥，九首，以食于九山⑦。相柳之所抵⑧，厥为泽溪⑨。禹杀相柳，其血腥，不可以树五谷种⑩。禹厥之，三仞三沮⑪，乃

---

① 一曰有手足：疑涉下文一手一足而衍。

② 柔利国：《大荒北经》作"牛黎之国"。

③ 䣛（xī）：同"膝"。

④ 曲足居上：谓脚反卷向上。

⑤ 人足反折：谓其人脚向上弯折。

⑥ 共工：传说中炎帝一脉之人，曾与颛顼争地位而失败。

⑦ "以食于"句：谓相柳的每个头各食一山之物，形容其贪欲极强。

⑧ 抵：达，触及。

⑨ 厥：通"掘"。

⑩ "不可以"句：谓不能种五谷。

⑪ 厥：通"掘"。仞：填满。沮：毁坏。谓禹掘土以填被相柳之血污染之土地，多次污染，又多次填满。

以为众帝之台①。在昆仑之北，柔利之东。相柳者，九首，人面蛇身而青。不敢北射，畏共工之台②。台在其东，台四方，隅有一蛇，虎色③，首冲南方④。

【相柳】

深目国在其东，为人举一手。一目在共工台东⑤。

无肠之国在深目东，其为人长而无肠。

聂耳之国在无肠国东⑥，使两文虎，为人两手聂其耳⑦。县居海水中⑧，及水所出入奇物⑨。两虎在其东。

【聂耳国】

---

① 众帝之台：指《海内北经》中所说的帝尧台、帝喾台、帝丹朱台和帝舜台。

② 不敢北射，畏共工之台：郝懿行认为主语乃相柳，因畏惧其主君共工之威；袁珂认为主语乃一般射箭之人，因畏惧共工台之灵不敢北射。

③ 虎色：虎纹。

④ 冲：向，面对。

⑤ 目：当作"日"。

⑥ 聂耳之国：《大荒北经》云："有儋耳之国，任姓，禹号子，食谷。"此"儋耳之国"即聂耳之国。

⑦ 聂，同"摄"，持。谓耳朵过长，须以手持之方得行走。

⑧ 县：同"悬"，孤立。

⑨ 及水：谓入水。

夸父与日逐走，入日①，渴欲得饮，饮于河渭；河渭不足，北饮大泽②。未至，道渴而死。弃其杖，化为邓林。

博父国在聂耳东③，其为人大，右手操青蛇，左手操黄蛇。邓林在其东，二树木④。一曰博父⑤。

禹所积石之山在其东，河水所入。

拘缨之国在其东⑥，一手把缨⑦。一曰利缨之国⑧。

寻木长千里，在拘缨南，生河上西北。

跂踵国在拘缨东⑨，其为人大，两足亦大⑩。一曰大踵⑪。

---

① 入日：谓追上太阳并将要进去时。一作"日入"。

② 大泽：传说中的北方大湖泊。《海内西经》云："大泽方百里，群鸟所生及所解。在雁门北。"

③ 博父国：即夸父国。

④ 二树木：谓邓林由二树而成林。

⑤ 博父：此"博父"疑当作"夸父"，或前文"博父国"当作"夸父国"。

⑥ 拘缨之国：当作"拘瘿之国"。瘿是囊状肿瘤，多生于颈而大，有碍行动，须用手拘捧，故名。

⑦ 把：持，捧。

⑧ 利：此字疑为误字，或当为"捋"字。

⑨ 跂踵国：因脚跟不着地，以五个脚趾走路而得名。跂，踮起。踵，脚后跟。

⑩ 大：疑作"支"。

⑪ 大踵：疑作"反踵"。

欧丝之野在大踵东①，一女子跪据树欧丝。

三桑无枝，在欧丝东，其木长百仞，无枝。

范林方三百里②，在三桑东，洲环其下③。

务隅之山④，帝颛顼葬于阳⑤，九嫔葬于阴。一曰爰有熊、罴、文虎、离朱、鸱久、视肉。

平丘在三桑东，爰有遗玉、青鸟、视肉、杨柳、甘柤、甘华⑥，百果所生。有两山夹上谷⑦，二大丘居中，名曰平丘。

北海内有兽，其状如马，名曰騊駼⑧。有兽焉，其名曰駮⑨，状如白马，锯牙，食虎豹。有素兽焉⑩，状如马，名曰蛩蛩⑪。有青兽焉，

①欧，通"呕"，吐。

②范林：一作泛林。

③洲：水中小块陆地。

④务隅之山：《海内东经》作"鲋鱼之山"，《大荒北经》作"附禺之山"。

⑤颛顼：传说中"五帝"之一。

⑥遗玉：一种玉石。青鸟：当作"青马"。甘柤（zhā）、甘华：皆树名，亦见《大荒南经》。

⑦有：当作"在"。

⑧騊駼：音 táo tú。

⑨駮：参见《西山经·西次四经》"中曲之山"条。

⑩素：白色。

⑪蛩蛩：音 qióng qióng。

134

状如虎，名曰罗罗。

北方禺彊①，人面鸟身，珥两青蛇②，践两青蛇③。

---

① 彊：音 qiáng。
② 珥两青蛇：指将两青蛇当作耳环穿在耳上。
③ 践：踏。青蛇：后文《大荒北经》作"赤蛇"。

海外自东南陬至东北陬者。

嵯丘①，爰有遗玉、青马、视肉、杨柳、甘柤、甘华②，百果所生。在东海，两山夹丘，上有树木。一曰嗟丘。一曰百果所在，在尧葬东。

大人国在其北，为人大，坐而削船③。一曰在嵯丘北。

【奢比】

奢比之尸在其北，兽身人面，大耳④，珥两青蛇。

君子国在其北，衣冠带剑，食兽，使二大虎在旁⑤，其人好让不争⑥。

---

① 嵯（jiē）丘：一作"发丘"。

② 杨柳：《淮南子·地形》引作"杨桃"。

③ 削：通"艄"，艄船即操船。

④ 大耳：后文《大荒东经》作"犬耳"。

⑤ 大虎：当作"文虎"。

⑥ 好让不争：谓喜礼让而不喜争执。

有薰华草①，朝生夕死。一曰在肝榆之尸北。

虹虹在其北②，各有两首③。一曰在君子国北。

朝阳之谷，神曰天吴，是为水伯。在虹虹北两水间。其为兽也，八首人面，八足八尾，皆青黄④。

【天吴】

青丘国在其北⑤，其狐四足九尾。一曰在朝阳北。

帝命竖亥步⑥，自东极至于西极，五亿十选九千八百步⑦。竖亥右手把算⑧，左手指青丘北。一曰禹令竖亥。一曰五亿十万九千八百步。

黑齿国在其北，为人黑⑨，食稻啖蛇，一赤一青⑩，在其旁。一曰

---

① 薰华草：一作"堇华草"。

② 虹虹（hóng hóng）：位于东方天空的暮虹。虹，同"虹"。

③ 各有两首：指虹和霓而言。霓即副虹，位于虹的外侧。

④ 皆：当作"背"。

⑤ "青丘国"句下郭璞注云："其人食五谷，衣丝帛。"此注文当为《山海经》正文。

⑥ 竖亥：传说中善走的人物。

⑦ 选：万。八百步：一作"八百八步"。

⑧ 算：当作"筭（suàn）"，古代一种计数工具。

⑨ "黑"字下当有"齿"字。

⑩ 一青：一作"一青蛇"。

在竖亥北，为人黑首，食稻使蛇，其一蛇赤。

下有汤谷①。汤谷上有扶桑②，十日所浴③。在黑齿北。居水中，有大木，九日居下枝，一日居上枝④。

雨师妾在其北⑤，其为人黑，两手各操一蛇，左耳有青蛇，右耳有赤蛇。一曰在十日北，为人黑身人面，各操一龟。

【雨师妾】

玄股之国在其北⑥，其为人衣鱼食躯⑦，使两鸟夹之。一曰在雨师妾北。

毛民之国在其北，为人身生毛。一曰在玄股北。

【毛民国】

---

① 汤谷：古代传说为日出之处。

② 扶桑：传说中之神木。

③ 十日：相传为帝俊与羲和所生之十子。

④ 九日居下枝，一日居上枝：谓十日不并出，依次迭出运作。

⑤ 雨师妾：国名。

⑥ 玄股之国：因其国人大腿以下皆黑色而得名。

⑦ 衣鱼：谓用鱼皮做衣服。躯（ōu）：同"鸥"，一种水鸟。

劳民国在其北①，其为人黑②。或曰教民。一曰在毛民北，为人面目手足尽黑。

东方句芒③，鸟身人面，乘两龙。

---

① 劳民国：国以其民烦躁而得名。劳，烦躁。

② "其为人黑"句下郭璞注云："食果草实也。有一鸟两头。"此注文当为经文。

③ 句（gōu）芒：传说为东方木神。

海内东南陬以西者。

瓯居海中。闽在海中，其西北有山。一曰闽中山在海中。

三天子鄣山在闽西海北①。一曰在海中。

桂林八树在番隅东②。

【枭阳国】

伯虑国、离耳国、雕题国、北朐国③，皆在郁水南。郁水出湘陵南海④。一曰相虑⑤。

枭阳国在北朐之西⑥，其为人人面长唇⑦，

① 闽西海北：当作"闽西北"。"海"当为衍字。
② 桂林八树：谓桂树八棵而成林。
③ 雕题国：因在额头刺纹而得名。朐：音qú。
④ 海：一作"山"。
⑤ 相虑：当作"柏虑"。
⑥ 枭阳：亦作"枭杨""枭羊"。
⑦ 其为人：一作"其状如人"。唇：同"唇"。

黑身有毛，反踵，见人笑亦笑①，左手操管。

兕在舜葬东②，湘水南，其状如牛，苍黑，一角。

苍梧之山，帝舜葬于阳，帝丹朱葬于阴③。

氾林方三百里，在狌狌东④。

狌狌知人名⑤，其为兽如豕而人面，在舜葬西。

狌狌西北有犀牛，其状如牛而黑。

夏后启之臣曰孟涂，是司神于巴⑥。人请讼于孟涂之所，其衣有血者乃执之⑦，是请生⑧。居山上，在丹山西。丹山在丹阳南，丹阳居属也⑨。

---

① 见人笑亦笑：当作"见人则笑"。

② 舜葬：谓舜所葬之处，即下文所说的苍梧之山。

③ 帝丹朱：舜的长子，传说因不肖而被舜放逐于南海。

④ 狌狌：即猩猩。

⑤ 知人名：据《后汉书》注引《南中志》，猩猩见人摆酒，则知为诱饵，且能知设饵者先祖名字，并指名道姓骂之。此盖强调猩猩智力异于凡兽之传说。

⑥ 司神于巴：谓在巴地为主管诉讼之神。

⑦ 其衣有血者：谓理屈的一方则有血迹现于衣上，类似一种神示证据制度。

⑧ 请生：谓有好生之德。

⑨ "丹山"二句：当为郭璞注文，后人误入经文。

窫窳龙首①，居弱水中，在狌狌知人名之西②，其状如龙首，食人。

有木，其状如牛，引之有皮，若缨、黄蛇③，其叶如罗④，其实如栾⑤，其木若芑⑥，其名曰建木。在窫窳西弱水上。

氐人国在建木西⑦，其为人人面而鱼身，无足。

【氐人国】　【巴蛇】

巴蛇食象⑧，三岁而出其骨，君子服之，无心腹之疾。其为蛇青、黄、赤、黑。一曰黑蛇青首，在犀牛西。

---

① 窫窳：即猰㺄，传说中的一种怪兽。又《北山经》"少咸之山"条记有窫窳，形状与此不同。

② 知人名：此三字当为衍字。

③ "引之"二句：谓剥下来的树皮像缨和黄蛇的形状。引，拉，牵。缨，帽带。

④ 罗：网。

⑤ 栾（luán）：树木名。

⑥ 芑（ōu）：即刺榆树，一种落叶小乔木，可制器具。

⑦ 氐人国：国名。传说其国人为炎帝后裔，能上下于天。

⑧ 巴蛇：古代传说中的一种大蛇。

旄马，其状如马，四节有毛。在巴蛇西北，高山南。

【旄马】

匈奴、开题之国、列人之国并在西北。

山海经第十一 | ## 海内西经

海内西南陬以北者。

贰负之臣曰危①。危与贰负杀窫窳，帝乃梏之疏属之山②，桎其右足③，反缚两手与发④，系之山上木。在开题西北。

【贰负之臣】

大泽方百里，群鸟所生及所解⑤。在雁门北。

雁门山，雁出其间。在高柳北。

高柳在代北。

---

① 贰负：古天神名。《海内北经》云："贰负神在其东，为物人面蛇身。"

② 梏（gù）：拘禁。

③ 桎（zhì）：谓戴上脚镣。

④ 与发：二字当为衍字。

⑤ 解：指毛羽脱落。

后稷之葬①，山水环之。在氐国西②。

流黄酆氏之国，中方三百里，有涂四方③，中有山。在后稷葬西。

流沙出钟山，西行又南行昆仑之虚，西南入海黑水之山。

东胡在大泽东。

夷人在东胡东。

貊国在汉水东北④，地近于燕，灭之⑤。

孟鸟在貊国东北⑥，其鸟文赤、黄、青，东乡⑦。

海内昆仑之虚⑧，在西北，帝之下都。昆仑之虚，方八百里，高万

---

① 后稷之葬：谓后稷所葬之处。《海内经》云："西南黑水之间，有都广之野，后稷葬焉。"

② 氐国：即氐人国。《海内南经》云："氐人国在建木西。"

③ 涂：通"途"，道路。

④ 貊：音mò。

⑤ 灭之：指貊国后来被燕国消灭。

⑥ 孟鸟：即《海外西经》所说的"灭蒙鸟"。

⑦ 乡：通"向"。

⑧ 昆仑之虚：即《西山经·西次三经》所说的"昆仑之丘"。

仞。上有木禾①，长五寻，大五围。面有九井②，以玉为槛。面有九门③，门有开明兽守之④，百神之所在。在八隅之岩⑤，赤水之际，非仁羿莫能上冈之岩⑥。

赤水出东南隅，以行其东北。

河水出东北隅，以行其北，西南又入渤海，又出海外，即西而北，入禹所导积石山⑦。

洋水、黑水出西北隅，以东，东行，又东北，南入海，羽民南。

弱水、青水出西南隅，以东，又北，又西南，过毕方鸟东。

昆仑南渊深三百仞。开明兽身大类虎而九首，皆人面。

【开明兽】

开明西有凤皇、鸾鸟，皆戴蛇践

---

① 木禾：传说中一种高大的谷类植物。

② 面：前。一作“上”。

③ 九：一作“五”。

④ 开明兽：即《西山经·西次三经》之神陆吾，虎身而九尾（下文作九首），人面而虎爪。

⑤ 在八隅之岩：谓群神居于山隅岩穴之间。

⑥ 仁羿：即夷羿。相传他曾登昆仑山向西王母求药。

⑦ 积石山：即《西山经·西次三经》所说的积石之山。

蛇，膺有赤蛇①。

开明北有视肉、珠树、文玉树、玗琪树、不死树②。凤皇、鸾鸟皆戴蕨③。又有离朱、木禾、柏树、甘水、圣木、曼兑④。一曰挺木牙交⑤。

开明东有巫彭、巫抵、巫阳、巫履、巫凡、巫相⑥，夹窫窳之尸，皆操不死之药以距之⑦。窫窳者，蛇身人面，贰负臣所杀也。

服常树⑧，其上有三头人，伺琅玕树。

开明南有树鸟⑨，六首，蛟、蝮、蛇、蜼、豹、鸟秩树⑩，于表池树木⑪，诵鸟、鶽、视肉⑫。

---

① 膺：胸。

② 珠树：疑即《海外南经》之三株树。文玉树：五彩玉树。玗（yú）琪树：赤玉树。不死树：见《海外南经》。

③ 蕨（fá）：盾。

④ 甘水：即醴泉。圣木：传说中树木，食其果实可使人增长智慧。曼兑：不详何物，一说即圣木之名称。

⑤ 挺木牙交：疑即璇树。

⑥ "巫彭"等人：皆巫医，亦见《大荒西经》。

⑦ "皆操"句：谓持令人长生不死的仙药来拒却死气，以使窫窳复活。距，通"拒"。

⑧ 服常树：疑即沙棠树。

⑨ 树鸟：疑即《大荒西经》所说的"鸀（chù）鸟"。

⑩ 鸟秩树：不详。

⑪ "于表池"句：谓池之周围多有树木。

⑫ 诵鸟：不详何鸟。鶽（sǔn）：即雕。

海内西北陬以东者。

蛇巫之山，上有人操柸而东向立①。一曰龟山。

西王母梯几而戴胜杖②。其南有三青鸟，为西王母取食。在昆仑虚北。

有人曰大行伯，把戈。其东有犬封国③。贰负之尸在大行伯东。

犬封国曰犬戎国，状如犬。有一女子，方跪进柸食④。有文马，缟身朱鬣⑤，目若黄金，名曰吉量⑥，乘之寿千岁。

鬼国在贰负之尸北⑦，为物人面而一目。一曰贰负神在其东，为物

---

① 柸（bàng）：同"棓"，大棒。
② 梯：凭，靠。几：古人坐时凭靠身体或搁置物件的矮桌子。杖：此字当为衍字。
③ 犬封国：据郭璞注，此国之人生男为狗，生女为美人。
④ 柸：同"杯"。
⑤ 缟身：谓马身洁白如缟。
⑥ 吉量：一作"吉良"。
⑦ 鬼国：即一目国，参见《海外北经》。

人面蛇身。

蛪犬如犬①，青，食人从首始。

穷奇状如虎，有翼，食人从首始，所食被发，在蛪犬北。一曰从足。

帝尧台、帝喾台、帝丹朱台、帝舜台，各二台，台四方，在昆仑东北。

大蜂，其状如螽②。朱蛾，其状如蛾③。

蟜④，其为人虎文，胫有肟。在穷奇东。一曰状如人，昆仑虚北所有。

阘非⑤，人面而兽身，青色。

据比之尸⑥，其为人折颈被发，无一手。

---

① 蛪（táo）犬：传说中北方一种吃人的犬。

② 螽（zhōng）：蝗类总名。

③ 蛾（yǐ）：通"蚁"。

④ 蟜（qiáo）：传说中的一种野人。

⑤ 阘：音 tà。

⑥ 据比：风神，又称掾比、诸比。

环狗，其为人兽首人身。一曰蝟状如狗，黄色。

袜①，其为物人身，黑首从目②。

戎，其为人人首三角。

林氏国有珍兽，大若虎，五采毕具，
尾长于身，名曰驺吾③，乘之日行千里。

【驺吾】

昆仑虚南所，有氾林方三百里。

从极之渊④，深三百仞，维冰夷恒都焉⑤。冰夷人面，乘两龙。一
曰忠极之渊。

阳汗之山，河出其中；凌门之山，河出其中。

王子夜之尸⑥，两手、两股、胸、首、齿皆断异处⑦。

---

① 袜（mèi）：通"魅"。

② 从目：即纵目，谓眼睛上下竖起。

③ 驺（zōu）吾：传说中之义兽，不食生物。

④ 渊：一作"川"。

⑤ 冰夷：又称冯夷、无夷，即河伯。恒：一作"潜"。

⑥ 王子夜：即王子亥，殷商时王子，相传于有易部落行淫，遭到杀戮。

⑦ 齿：疑是衍字。

舜妻登比氏生宵明、烛光①，处河大泽，二女之灵能照此所方百里。一曰登北氏。

盖国在巨燕南，倭北。倭属燕。

朝鲜在列阳东，海北山南。列阳属燕。

列姑射在海河州中②。

射姑国在海中③，属列姑射，西南山环之。

大蟹在海中④。

【陵鱼】

陵鱼人面⑤，手足，鱼身，在海中。

大鳊居海中⑥。

明组邑居海中⑦。

---

① 登比氏：相传为娥皇、女英之外舜的第三个妻子。

② 列姑射（yè）：山名。即《庄子》所说的藐姑射之山。

③ 射姑国：当作"姑射国"。

④ 大蟹：传说中身长千里之巨蟹。

⑤ 陵鱼：即人鱼。

⑥ 鳊（biān）：即鳊鱼。

⑦ 明组邑：当为海上聚落之名，不详。

蓬莱山在海中①。

大人之市在海中②。

---

① 蓬莱山：传说中海上仙山之一。

② 大人之市：即《大荒东经》之大人之国。

海内东北陬以南者。

巨燕在东北陬。

国在流沙中者埻端、玺㬦①，在昆仑虚东南。一曰海内之郡，不为郡县，在流沙中②。

国在流沙外者，大夏、竖沙、居繇、月支之国③。

西胡白玉山在大夏东，苍梧在白玉山西南④，皆在流沙西，昆仑虚东南。昆仑山在西胡西，皆在西北。

雷泽中有雷神，龙身而人头，鼓其腹。在吴西。

【雷神】

---

① 埻（guó）端：国名。玺㬦（huàn）：国名。

② 此条和以下两条疑当移于《海内西经》"流沙出钟山"条后。

③ 居繇：又作"属繇"。月支：又作"月氏"。

④ 苍梧：此苍梧与南海苍梧为同名异地。

都州在海中。一曰郁州。

琅邪台在渤海间，琅邪之东。其北有山。一曰在海间。

韩雁在海中①，都州南。

始鸠在海中②，辕厉南③。

会稽山在大楚南④。

岷三江：首大江出汶山，北江出曼山，南江出高山。高山在城都西，入海在长州南⑤。

浙江出三天子都，在其东，在闽西北，入海馀暨南。

庐江出三天子都，入江彭泽西。一曰天子鄣。

淮水出馀山，馀山在朝阳东，义乡西，入海淮浦北。

---

① 韩雁：或为古国名，或为鸟名。
② 始鸠：或为古国名，或为鸟名。
③ 辕厉：当为"韩雁"之误。
④ 大楚：当为"大越"之误。
⑤ "岷三江"以下各条，据毕沅考证，皆当是《水经》文字，与《山海经》无涉，疑为后世传抄者衍入经文，在此不注。

湘水出舜葬东南陬，西环之，入洞庭下。一曰东南西泽。

汉水出鲋鱼之山，帝颛顼葬于阳，九嫔葬于阴，四蛇卫之。

濛水出汉阳西，入江聂阳西。

温水出崆峒山，在临汾南，入河华阳北。

颍水出少室。少室山在雍氏南。入淮西鄢北。一曰缑氏。

汝水出天息山，在梁勉乡西南，入淮极西北。一曰淮在期思北。

泾水出长城北山，山在郁郅、长垣北，北入渭戏北。

渭水出鸟鼠同穴山，东注河，入华阴北。

白水出蜀，而东南注江，入江州城下。

沅水山出象郡镡城西，入东注江，入下隽西，合洞庭中。

赣水出聂都东山，东北注江，入彭泽西。

泗水出鲁东北而南，西南过湖陵西，而东南注东海，入淮阴北。

郁水出象郡，而西南注南海，入须陵东南。

肄水出临晋西南，而东南注海，入番禺西。

潢水出桂阳西北山，东南注肄水，入敦浦西。

洛水出洛西山，东北注河，入成皋之西。

汾水出上窳北，而西南注河，入皮氏南。

沁水出井陉山东，东南注河，入怀东南。

济水出共山南东丘，绝巨鹿泽，注渤海，入齐琅槐东北。

潦水出卫皋东，东南注渤海，入潦阳。

虖沱水出晋阳城南而西，至阳曲北，而东注渤海，入越章武北。

漳水出山阳东，东注渤海，入章武南。

| 大荒东经

东海之外大壑^①，少昊之国^②。少昊孺帝颛顼于此^③，弃其琴瑟^④。有甘山者，甘水出焉，生甘渊。

大荒东南隅，有山名皮母地丘。

东海之外，大荒之中，有山名曰大言^⑤，日月所出^⑥。

有波谷山者，有大人之国。有大人之市，名曰大人之堂^⑦。有一大人踆其上^⑧，张其两耳^⑨。

---

① 大壑：相传为无底之谷，世上所有江河所注之处。又称"归墟"。

② 少昊：相传为黄帝之子。

③ 孺：养育。

④ 弃其琴瑟：郝懿行认为，此谓少昊以琴瑟为玩具，故弃之于大壑之中。

⑤ 大言：一作"大谷"。

⑥ 日月所出：《大荒东经》中所记"日月所出"之山共六处，此为第一处。

⑦ 大人之堂：疑为山名，因形状似堂而得名。

⑧ 踆：通"蹲"，居处。

⑨ 耳：当作"臂"。

有小人国，名靖人①。

有神，人面兽身，名曰犁䰼之尸②。

有潏山③，杨水出焉。

有芶国④，黍食，使四鸟⑤：虎、豹、熊、罴。

大荒之中，有山名曰合虚⑥，日月所出。

有中容之国。帝俊生中容，中容人食兽、木实⑦，使四鸟：豹、虎、熊、罴。

有东口之山。有君子之国，其人衣冠带剑。

有司幽之国。帝俊生晏龙，晏龙生司幽。司幽生思士，不妻；思女，不夫⑧。食黍，食兽，是使四鸟。

---

① 靖：细貌。

② 䰼：音líng。

③ 潏：音jué。

④ 芶：音wěi。

⑤ 使：使役。虎豹熊罴皆兽，此云"鸟"，疑为泛指，盖亦古"虫"可指一切动物之类。

⑥ 合虚：一作"含虚"。此为第二处记载"日月所出"之山。

⑦ 木实：此指食之能使人成仙的赤木玄木之叶。

⑧ "司幽生思士"四句：谓司幽国之男女不交合而孕育。

有大阿之山者。

大荒中，有山名曰明星①，日月所出。

有白民之国②。帝俊生帝鸿，帝鸿生白民。白民销姓，黍食，使四鸟：虎、豹、熊、罴。

有青丘之国③，有狐，九尾。

有柔僕民，是维嬴土之国④。

有黑齿之国⑤。帝俊生黑齿，姜姓，黍食，使四鸟。

有夏州之国。

有盖余之国。

有神人，八首人面，虎身十尾，名曰天吴⑥。

---

① 明星：此为第三处记载"日月所出"之山。
② 白民之国：已见《海外西经》。
③ 青丘之国：已见《海外东经》。
④ 嬴土：肥沃之土。
⑤ 黑齿之国：已见《海外东经》。
⑥ 天吴：已见《海外东经》。

大荒之中，有山名曰鞠陵于天、东极、离瞀①，日月所出。名曰折丹②，东方曰折③，来风曰俊④，处东极以出入风。

东海之渚中有神⑤，人面鸟身，珥两黄蛇，践两黄蛇，名曰禺䝞⑥。黄帝生禺䝞，禺䝞生禺京⑦，禺京处北海，禺䝞处东海，是为海神。

有招摇山，融水出焉。

有国曰玄股⑧，黍食，使四鸟。

有困民国⑨，勾姓而食⑩。有人曰王亥⑪，两手操鸟，方食其头。王亥托于有易、河伯仆牛⑫。有易杀王亥，取仆牛。河念有易⑬，有易潜

---

① 鞠陵于天、东极、离瞀（mào）：三座山名。此为第四处记载"日月所出"之山。

② 折丹：神人名。疑"名曰折丹"上脱"有神"二字。

③ 东方曰折：谓折丹乃东方之神，简称则省略"丹"字，唯呼曰"折"。

④ 俊：春风，东风。

⑤ 渚（zhǔ）：水中的小块陆地，较洲为小。

⑥ 䝞（hào）：同"号"。

⑦ 禺京：即禺彊。参见《海外北经》。

⑧ 玄股：参见《海外东经》"玄股之国"条。

⑨ 困民国：当作"因民国"。因民，即《海内经》所载的"嬴民"，也即下文所说的"摇民"，"因""嬴""摇"三字为一声之转。

⑩ 而：袁珂认为乃"黍"字之讹。

⑪ 王亥：即殷王子亥。参见《海内北经》"王子夜之尸"条注。

⑫ 仆牛：即服牛，驯养之牛。此谓王亥将一批驯服之牛寄托于有易、河伯之处。

⑬ "河"字后当脱一"伯"字。

出，为国于兽，方食之，名曰摇民①。帝舜生戏②，戏生摇民。

海内有两人，名曰女丑③。女丑有大蟹④。

大荒之中，有山名曰孽摇頵羝⑤。上有扶木⑥，柱三百里，其叶如芥。有谷曰温源谷⑦。汤谷上有扶木。一日方至，一日方出，皆载于乌⑧。

有神，人面，犬耳⑨，兽身，珥两青蛇，名曰奢比尸⑩。

有五采之鸟，相乡弃沙⑪。惟帝俊下友⑫。帝下两坛，采鸟是司。

---

① "河念有易"以下五句：盖谓有易遭消灭后，河伯念及旧情，助有易之民潜逃，建立摇民国，其民以捕猎为生。

② 戏：即有易。"易""戏"声近而转。此当是有易来由之另一说法。

③ "海内"二句：二句间疑有脱文。女丑，已见《海外西经》"女丑之尸"条。

④ 大蟹：已见《海内北经》。

⑤ 孽（niè）：同"蘖"。頵：音 jūn。

⑥ 扶木：即扶桑。参见《海外东经》"汤谷"条注。

⑦ 温源谷：即汤谷。参见《海外东经》"汤谷"条。

⑧ 乌：指三足乌，太阳中的神鸟。

⑨ 犬：当作"大"。

⑩ 奢比尸：已见《海外东经》。

⑪ 弃沙：当为"槃娑"之讹。

⑫ 下友：谓下与五采鸟为友。

大荒之中，有山名猗天苏门①，日月所生②。有壎民之国③。有綦山④。又有摇山。有鬸山⑤。又有门户山。又有盛山。又有待山。有五采之鸟。

东荒之中，有山名曰壑明俊疾⑥，日月所出。有中容之国。

东北海外，又有三青马、三骓、甘华⑦。爰有遗玉、三青鸟、三骓、视肉、甘华、甘相，百谷所在。

【应龙】

有女和月母之国。有人名曰鹓⑧，北方曰鹓，来之风曰𤟕⑨，是处东极隅以止日月，使无相间出没，司其短长。

大荒东北隅中，有山名曰凶犁土丘。应龙处南极⑩，杀蚩尤与夸父，不得复

---

① 猗天苏门：此为第五处记载"日月所出"之山。

② 生：一作"出"。

③ 壎：音xūn。

④ 綦：音qí。

⑤ 鬸：音zèng。

⑥ 壑明俊疾：此为第六处记载"日月所出"之山。

⑦ 骓（zhuī）：毛色苍白相杂的马。

⑧ 鹓：音wǎn。

⑨ 𤟕：音yǎn。

⑩ 应龙：神名。龙形而有翼。

上①，故下数旱。旱而为应龙之状，乃得大雨。

东海中有流波山，入海七千里。其上有兽，状如牛，苍身而无角，一足，出入水则必风雨，其光如日月，其声如雷，其名曰夔。黄帝得之，以其皮为鼓，橛以雷兽之骨②，声闻五百里，以威天下。

［夔］

---

① 不得复上：谓应龙遂住在下界。
② 橛：击。雷兽：即雷神。参见《海外东经》"雷泽"条。

南海之外，赤水之西，流沙之东，有兽，左右有首，名曰跊踢[①]。有三青兽相并[②]，名曰双双。有阿山者。

【跊踢】

【双双】

南海之中，有氾天之山，赤水穷焉[③]。赤水之东，有苍梧之野，舜与叔均之所葬也[④]。爰有文贝、离俞、鸱久、鹰、贾、委维、熊、罴、象、虎、豹、狼、视肉[⑤]。

---

① 跊：音 chù。

② 三青兽相并：疑谓一身二头。

③ 穷：尽。

④ 叔均：即商均，舜之子。

⑤ 离俞：即离朱。参见《海外南经》"狄山"条。贾：一说为鹰类，一说为乌鸦类。委维：即《海内经》之延维。

有荣山①，荣水出焉②。黑水之南，有玄蛇，食麈。

有巫山者，西有黄鸟。帝药③，八斋④。黄鸟于巫山，司此玄蛇。

大荒之中，有不庭之山，荣水穷焉。有人三身，帝俊妻娥皇，生此三身之国⑤，姚姓，黍食，使四鸟。有渊四方，四隅皆达，北属黑水⑥，南属大荒，北旁名曰少和之渊，南旁名曰从渊，舜之所浴也⑦。又有成山，甘水穷焉。

有季禺之国，颛顼之子，食黍。有羽民之国⑧，其民皆生毛羽。有卵民之国，其民皆生卵。

大荒之中，有不姜之山，黑水穷焉。又有贾山，汔水出焉⑨。又有言山。又有登备之山⑩。有恝恝之山⑪。又有蒲山，澧水出焉。又有隗

---

① 荣山：一作"荥山"。

② 荣水：一作"荥水"。

③ 帝药：谓此处有天帝的仙药。

④ 八斋：谓有八处屋舍藏有仙药。

⑤ "生此"句：谓三身国的国民是帝俊和娥皇的后裔。

⑥ 属：连接。

⑦ 舜之所浴：谓舜曾在此沐浴。

⑧ 羽民之国：已见《海外南经》。

⑨ 汔：音qì。

⑩ 登备之山：即登葆山。参见《海外西经》"巫咸国"条。

⑪ 恝恝：音qì qì。

山①，其西有丹，其东有玉。又南有山，漂水出焉②。有尾山。有翠山。

有盈民之国，於姓，黍食。又有人方食木叶。有不死之国③，阿姓，甘木是食④。

大荒之中，有山名曰去痓⑤。南极果，北不成，去痓果⑥。

南海渚中有神，人面，珥两青蛇，践两赤蛇，曰不廷胡余。有神名曰因因乎，南方曰因乎，夸风曰乎民，处南极以出入风。

有襄山。又有重阴之山。有人食兽，曰季釐。帝俊生季釐，故曰季釐之国。有缗渊⑦。少昊生倍伐，倍伐降处缗渊。有水四方，名曰俊坛。

有载民之国⑧。帝舜生无淫，降载处，是谓巫载民。巫载民盼姓⑨，

---

① 隗：音 wěi。

② 漂水：一作"溧水"。

③ 不死之国：即不死民。参见《海外南经》。

④ 甘木：即不死树，服食其果实能使人长生不老。

⑤ 痓：音 chì。

⑥ "南极果"三句：不详何意，袁珂怀疑乃巫师诅咒窜入。

⑦ 缗：音 mín。

⑧ 载民之国：即载国。参见《海外南经》。

⑨ 盼：一作"盼"。

166

食谷，不绩不经，服也^①；不稼不穑，食也^②。爰有歌舞之鸟，鸾鸟自歌，凤鸟自舞。爰有百兽，相群爰处。百谷所聚。

大荒之中，有山名曰融天，海水南入焉。

有人曰凿齿，羿杀之。

有蜮山者^③，有蜮民之国，桑姓，食黍^④，射蜮是食。有人方扦弓射黄蛇^⑤，名曰蜮人。

有宋山者，有赤蛇，名曰育蛇。有木生山上，名曰枫木。枫木，蚩尤所弃其桎梏，是为枫木。有人方齿虎尾，名曰祖状之尸^⑥。

有小人，名曰焦侥之国^⑦，幾姓，嘉谷是食。

大荒之中，有山名歹涂之山^⑧，青水穷焉。有云雨之山，有木名曰

---

① "不绩不经"二句：谓不织布却有衣服穿。

② "不稼不穑"二句：谓不从事农业生产却有东西吃。

③ 蜮（yù）：相传为一种能含沙射人的动物。

④ 黍：一作"桑"。

⑤ 扦（yū）：引，拉。

⑥ 祖：音zhā。

⑦ 焦侥之国：已见《海外南经》。

⑧ 歹（xiǔ）涂之山：即丑涂之山。参见《西山经·西次三经》"昆仑之丘"条注。

栾。禹攻云雨①，有赤石焉生栾②，黄本，赤枝，青叶，群帝焉取药。

有国曰颛顼，生伯服③，食黍。有鼬姓之国④。有苕山。又有宗山。又有姓山。又有壑山。又有陈州山。又有东州山。又有白水山，白水出焉，而生白渊，昆吾之师所浴也⑤。

有人曰张弘，在海上捕鱼。海中有张弘之国⑥，食鱼，使四鸟。

有人焉，鸟喙，有翼，方捕鱼于海。

大荒之中，有人名曰驩头⑦。鲧妻士敬，士敬子曰炎融，生驩头。驩头人面鸟喙，有翼，食海中鱼，杖翼而行，维宜芑、苣、穋、杨是食⑧。有驩头之国。

帝尧、帝喾、帝舜葬于岳山⑨。爰有文贝、离俞、鸱久、鹰、延

---

① 攻：砍伐林木。

② 有赤石焉生栾：谓此山有灵，其栾木虽遭禹砍伐，复又生于赤石之上。

③ "有国"二句：《世本》云："颛顼生偁，偁字伯服。"疑经文当作"有国曰伯服，颛顼生伯服"。

④ 鼬：音 yòu。

⑤ 昆吾：神名。师：一说为老师，一说为军队。

⑥ 张弘之国：即《海外南经》所载之长臂国。张弘，通"长肱"，即长臂。

⑦ 驩头：即谨头。参见《海外南经》"谨头国"条注。

⑧ 芑、苣（jù）、穋（lù）、杨：四种植物名。

⑨ 岳山：即狄山。已见《海外南经》。

维、视肉、熊、罴、虎、豹、朱木①，赤枝，青华，玄实。有申山者。

大荒之中，有山名曰天台高山②，海水入焉③。

东南海之外④，甘水之间⑤，有羲和之国。有女子名曰羲和，方日浴于甘渊⑥。羲和者，帝俊之妻，生十日。

有盖犹之山者，其上有甘柤，枝干皆赤，黄叶，白华，黑实。东又有甘华，枝干皆赤，黄叶。有青马。有赤马，名曰三骓。有视肉。

有小人名曰菌人。

有南类之山，爰有遗玉、青马、三骓、视肉、甘华，百谷所在。

---

① "鹰"字下当有"贾"字。
② "高山"二字疑衍。
③ 海水入焉：疑当作"海水南入焉"，"南"字误入下文"东南海之外"句中。
④ 东南海之外：《北堂书钞》卷一四九、《太平御览》卷三引此经无"南"字。"南"字疑由上文"海水南入焉"句误入于此。
⑤ 甘水：一作"甘泉"。
⑥ 日浴：当作"浴日"。

西北海之外，大荒之隅，有山而不合，名曰不周负子①，有两黄兽守之。有水曰寒暑之水②。水西有湿山，水东有幕山，有禹攻共工国山。

有国名曰淑士，颛顼之子。

有神十人，名曰女娲之肠③，化为神，处栗广之野，横道而处。

有人名曰石夷④，来风曰韦，处西北隅以司日月之长短。

有五采之鸟，有冠，名曰狂鸟。

有大泽之长山。有白氏之国⑤。

---

① "负子"二字疑衍。

② 寒暑之水：因水半冷半热而得名。

③ 肠：一作"腹"。

④ 按全书体例，此句下疑脱"西方曰夷"四字。

⑤ 白氏之国：当作"白民之国"。白民之国已见《海外西经》。

西北海之外，赤水之东，有长胫之国①。

有西周之国，姬姓，食谷。有人方耕，名曰叔均。帝俊生后稷，稷降以百谷②。稷之弟曰台玺，生叔均③。叔均是代其父及稷播百谷，始作耕。有赤国妻氏④。有双山。

西海之外，大荒之中，有方山者，上有青树，名曰柜格之松，日月所出入也。

西北海之外⑤，赤水之西，有先民之国⑥，食谷，使四鸟。

有北狄之国。黄帝之孙曰始均，始均生北狄。

有芒山。有桂山。有榣山，其上有人，号曰太子长琴。颛顼生老童，老童生祝融，祝融生太子长琴，是处榣山，始作乐风⑦。

有五采鸟三名：一曰皇鸟，一曰鸾鸟，一曰凤鸟。

---

① 长胫之国：即长股之国，已见《海外西经》。
② 稷降以百谷：谓后稷从天上降下百谷的种子。
③ “稷之弟”二句：谓叔均是后稷之侄，而《海内经》又有一叔均，乃是后稷之孙。
④ 赤国妻氏：人名。疑即《海内经》所说的大比赤阴。
⑤ 西北海：一作“西海”。
⑥ 先民之国：当作“天民之国”。
⑦ 乐风：一无“风”字。

有虫状如菟①，胸以后者裸不见②，青如猿状。

大荒之中，有山名曰丰沮玉门③，日月所入。

有灵山，巫咸、巫即、巫盼、巫彭、巫姑、巫真、巫礼、巫抵、巫谢、巫罗十巫，从此升降，百药爰在。

西有王母之山、壑山、海山④。有沃之国，沃民是处。沃之野，凤鸟之卵是食，甘露是饮。凡其所欲，其味尽存。爰有甘华、甘柤、白柳、视肉、三骓、璇瑰、瑶碧、白木、琅玕、白丹、青丹⑤，多银、铁。鸾凤自歌，凤鸟自舞，爰有百兽，相群是处，是谓沃之野。

有三青鸟，赤首黑目，一名曰大鵹，一名少鵹，一名曰青鸟。

有轩辕之台，射者不敢西向射⑥，畏轩辕之台。

大荒之中，有龙山⑦，日月所入。有三泽水，名曰三淖，昆吾之所食也。

---

① 菟：通"兔"。
② "胸以后"句：据郭璞注，乃此物肤色甚青，胸以后部位虽裸，却难以辨认。
③ 丰沮玉门：此为本经所记第一处"日月所入"之山。
④ 西有王母之山：当作"有西王母之山"。
⑤ 璇瑰：玉石名。白丹、青丹：白色的美石和青色的美石。
⑥ 射：第二字当为衍字。
⑦ 龙山：此为本经所记第二处"日月所入"之山。

有人衣青，以袂蔽面①，名曰女丑之尸②。

有女子之国③。

有桃山。有虻山④。有桂山。有于土山。

有丈夫之国⑤。

有弇州之山⑥，五采之鸟仰天⑦，名曰鸣鸟⑧。爰有百乐歌儛之风。

有轩辕之国⑨。江山之南栖为吉。不寿者乃八百岁⑩。

西海陼中有神⑪，人面鸟身，珥两青蛇，践两赤蛇，名曰弇兹。

---

① 袂：衣袖。

② 女丑之尸：已见《海外西经》。

③ 女子之国：已见《海外西经》。

④ 虻（méng）山：即上文所说的芒山。

⑤ 丈夫之国：已见《海外西经》。

⑥ 弇：音 yān。

⑦ 仰天：谓仰天而嘘。

⑧ 鸣鸟：凤凰一类的鸟。

⑨ 轩辕之国：已见《海外西经》。

⑩ "不寿者"句：谓其国短命的人也能活八百岁。

⑪ 陼（zhǔ）：同"渚"，水中小洲。

大荒之中，有山名日月山，天枢也。吴姖天门①，日月所入。有神，人面无臂，两足反属于头山②，名曰嘘。颛顼生老童，老童生重及黎③，帝令重献上天，令黎邛下地④，下地是生噎⑤，处于西极，以行日月星辰之行次。

有人反臂，名曰天虞。

有女子方浴月。帝俊妻常羲，生月十有二，此始浴之。

有玄丹之山。有五色之鸟，人面有发。爰有青鸢⑥，黄鹜、青鸟、黄鸟⑦，其所集者其国亡。

有池名孟翼之攻颛顼之池⑧。

大荒之中，有山名曰鏖鏊钜⑨，日月所入者。有兽，左右有首，名曰

---

① 吴姖（jù）天门：此为本经所记第三处"日月所入"之山。
② 山：当作"上"。
③ 重及黎：重、黎皆人名。
④ "帝令"二句：袁珂认为，"献"即举，"邛"即抑；此二句意谓天帝命重举天，命黎压地。
⑤ "下地"句：此句意不详，诸家亦无达诂。
⑥ 青鸢（wén）：一种青色的鸟。
⑦ 黄鹜（áo）：一种黄色的鸟。青鸟、黄鸟：此四字疑为注文窜入。
⑧ 孟翼，当为神名。
⑨ 鏖鏊（áo áo）钜：此为本经所记的第四处"日月所入"之山。

屏蓬①。

有巫山者。有壑山者。有金门之山，有人名曰黄姖之尸。有比翼之鸟。有白鸟，青翼，黄尾，玄喙。有赤犬，名曰天犬，其所下者有兵。

西海之南，流沙之滨，赤水之后，黑水之前，有大山名曰昆仑之丘②。有神——人面虎身，有文有尾③，皆白——处之④。其下有弱水之渊环之。其外有炎火之山，投物辄然⑤。有人，戴胜，虎齿，有豹尾，穴处，名曰西王母⑥。此山万物尽有。

大荒之中，有山名曰常阳之山⑦，日月所入。

有寒荒之国。有二人女祭、女薎⑧。

---

① 屏蓬：即《海外西经》中所记载的并封。

② 昆仑之丘：已见《西山经·西次三经》和《海内西经》有"昆仑之虚"。

③ 有文有尾：当作"文尾"。

④ "有神"句：所指即《西山经·西次三经》所记的神陆吾。"人面虎身，有文有尾，皆白"疑是注文窜入。

⑤ 然：通"燃"，燃烧。

⑥ 西王母：参见《西山经·西次三经》"玉山"条。

⑦ 常阳之山：即《海外西经》所记之常羊之山，为刑天所葬之地。此山为本经所记第五处"日月所入"之山。

⑧ 女祭、女薎（miè）：即《海外西经》所记之女祭、女戚，都是女巫。

有寿麻之国。南岳娶州山女，名曰女虔。女虔生季格，季格生寿麻。寿麻正立无景①，疾呼无响②。爰有大暑，不可以往。

有人无首，操戈盾立，名曰夏耕之尸。故成汤伐夏桀于章山③，克之，斩耕厥前。耕既立，无首，走厥咎④，乃降于巫山⑤。

有人名曰吴回，奇左⑥，是无右臂。

有盖山之国。有树，赤皮、支、干、青叶，名曰朱木⑦。

有一臂民⑧。

【一臂民】

大荒之中，有山名曰大荒之山⑨，日月所入。有人焉三面⑩，是颛顼之子，三面一臂。三面之人不死，是谓大荒之野。

---

① 景：通"影"。

② 响：回声。

③ 成汤：商朝的建立者。

④ 走厥咎：谓逃避罪责。

⑤ 此段盖谓汤斩耕于夏桀之面前，耕无首而起身，为逃脱罪责而躲避于巫山。

⑥ 奇左：意谓只有左臂。

⑦ 朱木：已见《大荒南经》。

⑧ 一臂民：即《海外西经》所记之一臂国国人。

⑨ 大荒之山：此为本经所记第六处"日月所入"之山。

⑩ 三面：谓其头三面各有脸。

西南海之外，赤水之南，流沙之西，有人珥两青蛇，乘两龙，名曰夏后开。开上三嫔于天[1]，得《九辩》与《九歌》以下。此天穆之野，高二千仞，开焉得始歌《九招》。

【三面人】

有互人之国[2]。炎帝之孙名曰灵恝，灵恝生互人，是能上下于天。

有鱼偏枯，名曰鱼妇。颛顼死即复苏[3]。风道北来[4]，天乃大水泉[5]，蛇乃化为鱼，是为鱼妇。颛顼死即复苏[6]。

有青鸟，身黄，赤足，六首，名曰鸀鸟[7]。

【鸀鸟】

有大巫山。有金之山。

西南大荒之中隅，有偏句、常羊之山。

---

① 嫔：通"宾"，做客。

② 互人之国：即《海内南经》所记之氐人国。"互"当为"氐"之讹字。

③ 此处的鱼妇是颛顼死后复苏所化。

④ 道：从，经。

⑤ 天乃大水泉：意谓泉水遇风暴溢出。

⑥ "颛顼"句：此句与上文重复，可能是衍文。

⑦ 鸀（chù）鸟：疑即《海内西经》所记之树鸟。

东北海之外，大荒之中，河水之间，附禺之山^①，帝颛顼与九嫔葬焉。爰有鸱久、文贝、离俞、鸾鸟、皇鸟、大物、小物^②。有青鸟、琅鸟、玄鸟、黄鸟、虎、豹、熊、罴、黄蛇、视肉、璇瑰、瑶碧^③，皆出卫于山^④。丘方圆三百里，丘南帝俊竹林在焉，大可为舟。竹南有赤泽水，名曰封渊。有三桑无枝^⑤。丘西有沈渊，颛顼所浴。

有胡不与之国，烈姓，黍食。

大荒之中，有山名曰不咸。有肃慎氏之国。有蜚蛭，四翼。有虫，兽首蛇身，名曰琴虫。

有人名曰大人。有大人之国^⑥，釐姓^⑦，黍食。有大青蛇，黄头，

---

① 附禺之山：即《海外北经》所记之务隅之山、《海内东经》所记之鲋鱼之山。

② 皇鸟：一作"凤鸟"。大物、小物：皆殉葬品。

③ 琅鸟：不详何鸟。璇（xuán）瑰：即璇瑰，参见《大荒西经》"西有王母之山"条注。

④ 出卫于山：当作"出于山"。"卫"字当与下句相连，作"出于山。卫丘方圆三百里"。

⑤ 有三桑无枝：郭璞注云："皆高百仞。"王念孙认为，"皆高百仞"四字是误入注文的经文。

⑥ 大人之国：已见《海外东经》及《大荒东经》。

⑦ 釐：音 xǐ。

食麈。

有榆山。有鲧攻程州之山①。

大荒之中，有山名曰衡天。有先民之山。有槃木千里②。

有叔歜国③。颛顼之子，黍食，使四鸟：虎、豹、熊、罴。有黑虫如熊状，名曰猎猎④。

有北齐之国，姜姓，使虎、豹、熊、罴。

大荒之中，有山名曰先槛大逢之山⑤，河济所入，海北注焉。其西有山，名曰禹所积石⑥。

有阳山者。有顺山者，顺水出焉。有始州之国。有丹山。有大泽方千里，群鸟所解。

---

① 程州，国名。
② 槃（pán）木：枝干盘曲的树木。
③ 歜：音chù。
④ 猎猎：音xī xī。
⑤ 先：一作"光"。
⑥ 禹所积石：山名。已见《海外北经》。

有毛民之国①，依姓，食黍，使四鸟。禹生均国，均国生役采②，役采生修鞈③，修鞈杀绰人④。帝念之，潜为之国⑤，是此毛民。

有儋耳之国⑥，任姓，禺号子⑦，食谷。北海之渚中有神，人面鸟身，珥两青蛇，践两赤蛇，名曰禺彊⑧。

大荒之中，有山名曰北极天柜⑨，海水北注焉。有神九首，人面鸟身，名曰九凤。又有神衔蛇操蛇，其状虎首人身，四蹄长肘，名曰彊良。

【九凤】

【彊良】

---

① 毛民之国：已见《海外东经》。

② 役采：一作“役来”。

③ 修鞈（gé）：一作“循鞈”。

④ 绰人：人名。

⑤ 潜为之国：暗地里帮他立国。潜，暗中。

⑥ 儋（dān）耳之国：因其国之人耳大下垂而得名。儋，下垂。

⑦ 禺号：即禺貌。参见《大荒东经》“东海之渚中”条。

⑧ 禺彊：已见《海外北经》。

⑨ 柜：一作“槶（kuì）”。

大荒之中，有山名曰成都载天。有人珥两黄蛇，把两黄蛇，名曰夸父。后土生信，信生夸父。夸父不量力，欲追日景①，逮之于禺谷②。将饮河而不足也，将走大泽，未至，死于此。应龙已杀蚩尤，又杀夸父，乃去南方处之，故南方多雨。

又有无肠之国③，是任姓，无继子④，食鱼。

共工之臣名曰相繇⑤，九首蛇身，自环⑥，食于九土⑦。其所歍所尼⑧，即为源泽，不辛乃苦，百兽莫能处。禹湮洪水⑨，杀相繇，其血腥臭，不可生谷，其地多水，不可居也。禹湮之，三仞三沮，乃以为池，群帝因是以为台，在昆仑之北⑩。

有岳之山，寻竹生焉。

大荒之中，有山名不句，海水入焉⑪。

---

① 日景：日影。景，同“影”。

② 禺谷：即禺渊，为日落之所。

③ 无肠之国：已见《海外北经》。

④ 无继子：谓其国人是无继国国人的后裔。

⑤ 相繇（yóu）：即相柳。禹杀相柳的神话已见《海外北经》。

⑥ 自环：谓其身体盘成一团。环，绕。

⑦ 土：一作“山”。

⑧ 所歍（wū）所尼：即呕吐所及处。歍，呕吐。尼，止。

⑨ 湮：填，堵塞。

⑩ 在昆仑之北：《海内北经》谓在昆仑东北。

⑪ 海水入焉：一作“海水北入焉”。

有系昆之山者，有共工之台①，射者不敢北乡。有人衣青衣，名曰黄帝女魃②。蚩尤作兵伐黄帝，黄帝乃令应龙攻之冀州之野。应龙畜水，蚩尤请风伯雨师，纵大风雨。黄帝乃下天女曰魃，雨止，遂杀蚩尤。魃不得复上，所居不雨。叔均言之帝，后置之赤水之北。叔均乃为田祖。魃时亡之。所欲逐之者，令曰："神北行！"先除水道，决通沟渎③。

有人方食鱼，名曰深目民之国④，盼姓，食鱼。

有钟山者。有女子衣青衣，名曰赤水女子献⑤。

大荒之中，有山名曰融父山，顺水入焉。有人名曰犬戎。黄帝生苗龙，苗龙生融吾，融吾生弄明⑥，弄明生白犬，白犬有牝牡⑦，是为犬戎，肉食。有赤兽，马状无首，名曰戎宣王尸。

有山名曰齐州之山、君山、鬻山、鲜野山、鱼山⑧。

---

① 共工之台：已见《海外北经》。

② 黄帝女魃（bá）：传说中之旱神。

③ 渎：沟渠。

④ 深目民之国：即深目国，已见《海外北经》。

⑤ 赤水女子献：神名。一曰"献"当作"魃"，则此神即黄帝女魃也。

⑥ 弄明：又作"卞明""并明"。

⑦ 白犬有牝牡：一作"白犬有二牝牡"。

⑧ 鬻：音qín。

有人一目①，当面中生，一曰是威姓，少昊之子，食黍。

有继无民②，继无民任姓，无骨子③，食气、鱼。

西北海外，流沙之东，有国曰中輪④，颛顼之子，食黍。

有国名曰赖丘。有犬戎国⑤。有神⑥，人面兽身，名曰犬戎。

西北海外，黑水之北，有人有翼，名曰苗民⑦。颛顼生骥头，骥头生苗民，苗民釐姓，食肉。有山名曰章山。

大荒之中，有衡石山、九阴山、洞野之山⑧，上有赤树，青叶赤华，名曰若木⑨。

---

① 有人一目：即《海外北经》之一目国国人。

② 继无：当作"无继"。下同。

③ 无骨子：谓其人是无骨国国人的后裔。无骨国即《海外北经》所记之柔利国，也即下文所记之牛黎之国。

④ 輪（biàn）：一作"轮"。

⑤ 犬戎国：已见《海内北经》。

⑥ 神：一作"人"。

⑦ 苗民：即三苗国之民。三苗国已见《海外南经》。

⑧ 洞（jiǒng）野之山：一作"灰野之山"。

⑨ 若木：郭璞注云："生昆仑西，附西极，其华光赤下照地。"郝懿行认为乃是经文误入郭注。

有牛黎之国①。有人无骨，儋耳之子。

西北海之外，赤水之北，有章尾山②。有神，人面蛇身而赤③，直目正乘④，其瞑乃晦⑤，其视乃明，不食不寝不息，风雨是谒⑥。是烛九阴，是谓烛龙⑦。

---

① 牛黎之国：即《海外北经》所记之柔利国。

② 章尾山：即《海外北经》所记之钟山。

③ "人面"句：郭璞注云："身长千里。"王念孙认为此四字是注文窜入。

④ 乘：通"眹（zhèn）"，眼珠。

⑤ 瞑：一作"眠"。

⑥ 风雨是谒：以风雨为食。谒，通"嘻"。

⑦ 烛龙：即《海外北经》所记之烛阴。

| **海内经**

东海之内，北海之隅，有国名曰朝鲜、天毒①，其人水居，偎人爱之②。

西海之内，流沙之中，有国名曰壑市。

西海之内，流沙之西，有国名曰氾叶。

流沙之西，有鸟山者，三水出焉。爰有黄金、璿瑰、丹货、银、铁③，皆流于此中。又有淮山，好水出焉。

流沙之东，黑水之西，有朝云之国、司彘之国。黄帝妻雷祖，生昌意④，昌意降处若水⑤，生韩流。韩流擢首、谨耳、人面、豕喙、麟

---

① 天毒：不详何地。

② 偎人爱之：当作"偎人爱人"。偎，亲近，亲爱。

③ 丹货：丹砂一类的矿物。

④ 雷祖，即累祖，又称嫘祖。

⑤ 降处若水：谓自天而降，居于若水。

身、渠股、豚止①，取淖子曰阿女，生帝颛顼②。

流沙之东，黑水之间，有山名不死之山。

华山青水之东，有山名曰肇山，有人名曰柏高③，柏高上下于此，至于天。

西南黑水之间，有都广之野，后稷葬焉。爰有膏菽、膏稻、膏黍、膏稷④，百谷自生，冬夏播琴⑤。鸾鸟自歌，凤鸟自儛，灵寿实华⑥，草木所聚。爰有百兽，相群爰处。此草也⑦，冬夏不死。

南海之外⑧，黑水青水之间，有木名曰若木⑨，若水出焉。

有禺中之国。有列襄之国。有灵山⑩，有赤蛇在木上，名曰蝡蛇⑪，

---

① 擢首：头颈很长。谨耳：谓耳小。渠股：胼股，即罗圈腿。豚止：谓长着像猪脚一样的脚。止，足，脚。

② 取：通"娶"。

③ 柏高：当作"柏子高"，传说中之仙人。

④ 膏：谓口感优良，润滑如膏。

⑤ 播琴：播种。

⑥ 灵寿：树木名，即椐树。参见《北山经》"虢山"条注。

⑦ 此草：即此地之草。

⑧ 外：当作"内"。

⑨ 若木：已见《大荒北经》。

⑩ 灵山：已见《大荒西经》。

⑪ 蝡：音 ruǎn。

木食①。

有盐长之国②。有人焉鸟首，名曰鸟氏③。

有九丘，以水络之④，名曰陶唐之丘、有叔得之丘、孟盈之丘、昆吾之丘、黑白之丘、赤望之丘、参卫之丘、武夫之丘、神民之丘⑤。

有木，青叶紫茎，玄华黄实，名曰建木⑥，百仞无枝，有九樆⑦，下有九枸⑧，其实如麻，其叶如芒⑨。大暤爰过⑩，黄帝所为。

有窫窳⑪，龙首，是食人。有青兽⑫，人面，名曰猩猩。

西南有巴国。大暤生咸鸟，咸鸟生乘釐，乘釐生后照，后照是始为巴人。

---

① 木食：谓以树木为食物。

② 盐长之国：一作"监长之国"。

③ 鸟氏：一作"鸟民"。

④ 络：缠绕。

⑤ 武夫之丘：因山多武夫石而得名。武夫石，一种似玉的美石。

⑥ 建木：已见《海内南经》。

⑦ 樆（zhú）：树枝弯曲。

⑧ 枸（gōu）：树根盘错。

⑨ 芒：即芒草。参见《中山经·中次二经》"葌山"条。

⑩ 大暤（hào）爰过：谓大暤通过此树上下天庭。大暤，即太昊。

⑪ 窫窳：已见《海内南经》。

⑫ 青：此字当为衍字。

有国名曰流黄辛氏①，其域中方三百里，其出是尘土②。有巴遂山，渑水出焉。

又有朱卷之国。有黑蛇，青首，食象。

南方有赣巨人③，人面长臂④，黑身有毛，反踵，见人笑亦笑，唇蔽其面，因即逃也。

又有黑人，虎首鸟足，两手持蛇，方啗之⑤。

有嬴民，鸟足。有封豕⑥。

有人曰苗民。有神焉，人首蛇身，长如辕，左右有首，衣紫衣，冠旃冠⑦，名曰延维⑧，人主得而飨食之，伯天下⑨。

有鸾鸟自歌，凤鸟自舞。凤鸟首文曰德，翼文曰顺，膺文曰仁，背文

---

① 流黄辛氏：即流黄酆氏之国，已见《海内西经》。
② 其出是尘土：谓其地出产麈。"尘土"当为"麈"之讹。
③ 赣巨人：即枭阳，已见《海内南经》。
④ 臂：当作"唇"。
⑤ 啗（dàn）：同"啖"，吃。
⑥ 封豕：当为"王亥"之误。王亥，已见《大荒东经》。
⑦ 冠旃（zhān）冠：谓戴着毡制的帽子。旃，通"毡"。
⑧ 延维：即《大荒南经》所记之委维。
⑨ 伯：通"霸"，称霸。

曰义，见则天下和。又有青兽如菟^①，名曰菌狗^②。有翠鸟^③。有孔鸟^④。

南海之内有衡山。有菌山。有桂山。有山名三天子之都^⑤。

南方苍梧之丘，苍梧之渊，其中有九嶷山，舜之所葬，在长沙零陵界中。

北海之内，有蛇山者，蛇水出焉，东入于海。有五采之鸟，飞蔽一乡，名曰翳鸟。又有不距之山，巧倕葬其西^⑥。

北海之内，有反缚盗械、带戈常倍之佐^⑦，名曰相顾之尸。

伯夷父生西岳，西岳生先龙，先龙是始生氐羌，氐羌乞姓。

北海之内，有山名曰幽都之山，黑水出焉。其上有玄鸟、玄蛇、玄豹、玄虎、玄狐，蓬尾^⑧。有大玄之山。有玄丘之民。有大幽之国。有赤胫之民。

---

① 菟：通"兔"。
② 菌（jùn）狗：一种体形短小的狗。
③ 翠鸟：一种似燕的鸟。
④ 孔鸟：指孔雀。
⑤ 三天子之都：一作"三天子之鄣山"。三天子鄣山已见《海内南经》。
⑥ 巧倕（chuí）：古代传说中的巧匠。
⑦ 盗械：谓因犯罪而被戴上刑具。倍：通"背"，常倍谓反复无常。
⑧ 蓬尾：指玄狐的尾部蓬松分开。

有钉灵之国，其民从膝已下有毛，马蹄善走。

【钉灵国】

炎帝之孙伯陵，伯陵同吴权之妻阿女缘妇①，缘妇孕三年，是生鼓、延、殳②。始为侯③，鼓、延是始为钟，为乐风。

黄帝生骆明，骆明生白马，白马是为鲧④。

帝俊生禺号，禺号生淫梁⑤，淫梁生番禺，是始为舟。番禺生奚仲，奚仲生吉光，吉光是始以木为车。

少皞生般⑥，般是始为弓矢。

帝俊赐羿彤弓素矰⑦，以扶下国，羿是始去恤下地之百艰⑧。

帝俊生晏龙，晏龙是为琴瑟。

---

① 同：通"通"，私通。

② 殳：音 shū。

③ 始为侯：谓创制箭靶。侯，箭靶。"始"上疑脱"殳"字。

④ 鲧（gǔn）：传说中大禹之父。

⑤ 淫梁：即禺京。

⑥ 般：音 bān。

⑦ 彤弓：红色的弓。素矰（zēng）：尾部用白色羽毛装饰的箭。矰，矢，箭。

⑧ 恤：解救。艰：困苦。

帝俊有子八人，是始为歌舞①。

帝俊生三身②，三身生义均③，义均是始为巧倕，是始作下民百巧④。后稷是播百谷。稷之孙曰叔均⑤，始作牛耕。大比赤阴⑥，是始为国。禹鲧是始布土⑦，均定九州。

炎帝之妻、赤水之子听讹生炎居，炎居生节并，节并生戏器，戏器生祝融⑧。祝融降处于江水，生共工，共工生术器，术器首方颠⑨，是复土穰⑩，以处江水。共工生后土，后土生噎鸣，噎鸣生岁十有二⑪。

洪水滔天。鲧窃帝之息壤以堙洪水⑫，不待帝命。帝令祝融杀鲧于羽郊⑬。鲧复生禹⑭，帝乃命禹卒布土以定九州。

---

① "帝俊"二句：一作"帝俊八子，是始为歌"。

② 帝俊生三身：参见《大荒南经》"不庭之山"条。

③ 义均：指《大荒南经》所记与舜同葬苍梧的舜的儿子叔均，也即商均。

④ 百巧：指各种农具。

⑤ 叔均：与上文义均非同一人物。

⑥ 大比赤阴：即《大荒西经》所记的赤国妻氏。

⑦ 布土：谓规划疆土。

⑧ 戏器生祝融：《大荒西经》云："颛顼生老童，老童生祝融。"与此有异。

⑨ 首方颠：谓头顶平。

⑩ 穰：通"壤"。

⑪ "噎鸣"句：谓噎鸣系其母怀孕十二年所生。

⑫ 息壤：传说中一种无限自我生长的土壤。

⑬ 羽郊：指羽山之郊。参见《南山经·南次二经》。

⑭ 复：通"腹"。

附录

《山海经存》图谱

南山经

九尾獸

類

濰濰

赤鱬

猙訑

南山神

鵜鶘

196

南次二经

南次三经

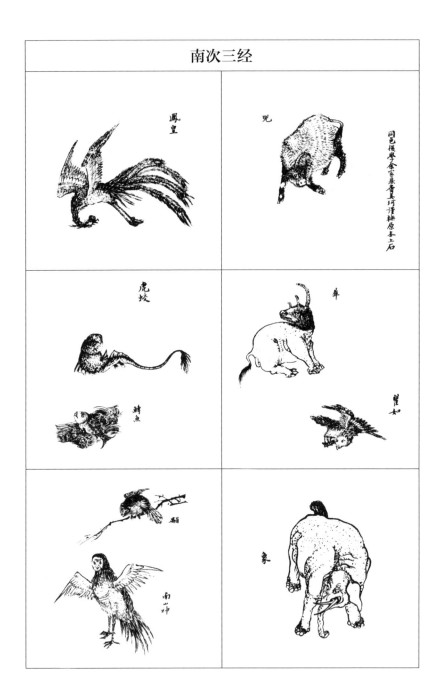

西山经

西次二经

西次三经

畢方

天狗

胜遇

狡

神江疑

風

叱

神魁氏

之祖

三青鳥

狄狪

狮

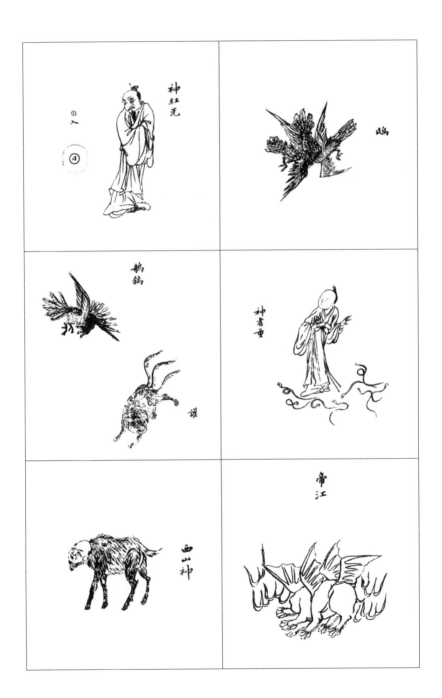

神紅光

鴟

鵁鴀

讙

神耆童

帝江

西山神

西次四经

北山经

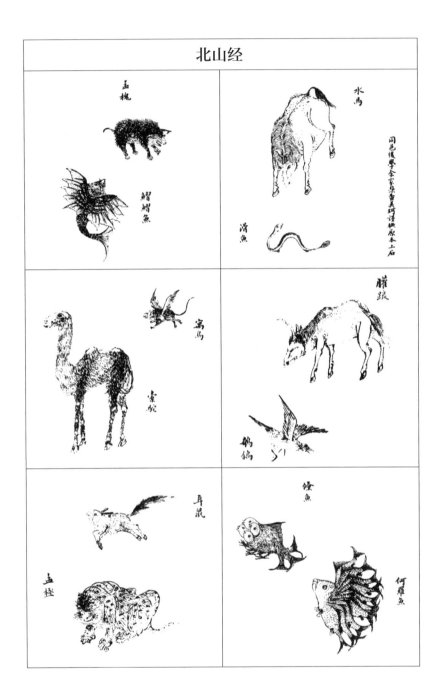

那父

幽頞

辣斯

足訾

鵁鶄

長蛇

赤鱬

諸犍

白鷮

208

北次二经

鵁鶄

閭麋

同邑後學金家椠曾吴河謹撫原本上石

獨㺌

鮆魚

騂馬

居暨

鶓鳥

北山神

㺌鶓

北次三经

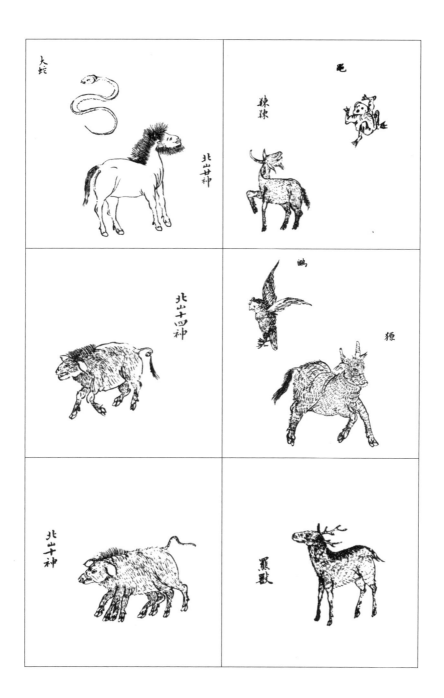

大蛇

北山廿神

毛

辣辣

北山十四神

魝

猼

北山十神

𪊨𪊨

211

东山经

212

东次二经

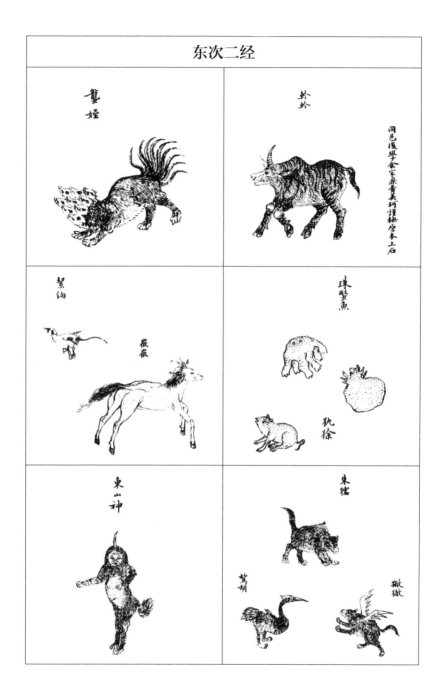

东次三经

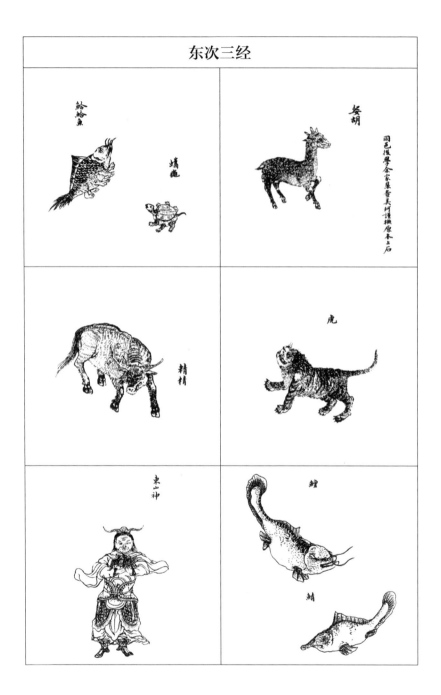

东次四经

215

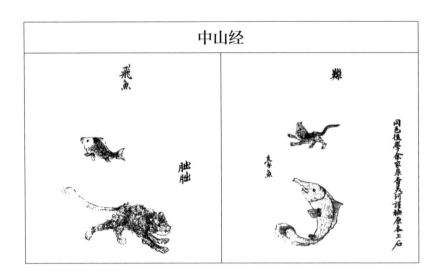

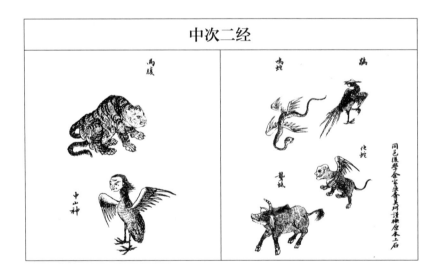

216

中次三经

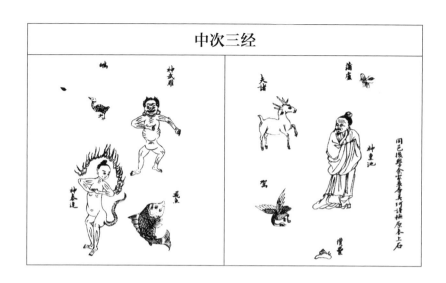

中次四经

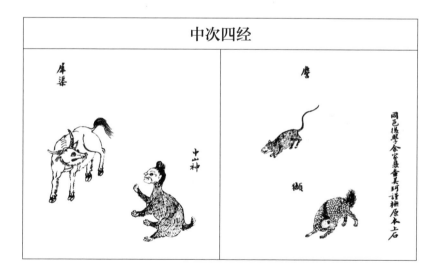

217

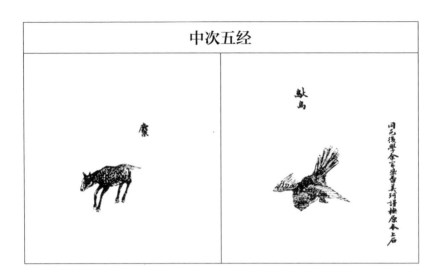

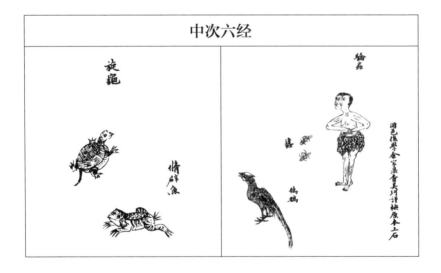

218

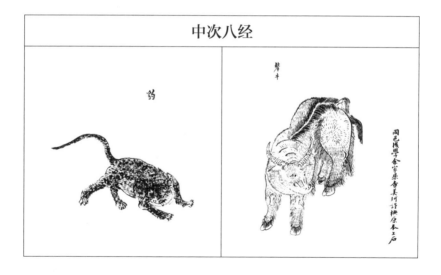

219

中次九经

犯狼

蜼

鼍

同邑进士余兰芬家有美珂详摹原本上石

熊山神

獉牛

中山神

怪蛇

鴒脂

221

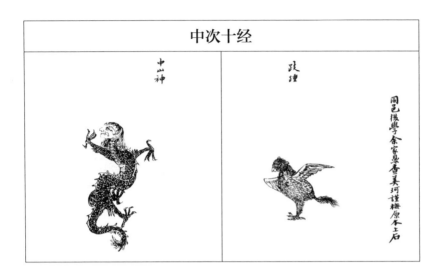

中次十经

中山神　跋踵

同邑後學余家泉奮美珂謹橅原本上石

中次十一经

雍和　神計蒙

同邑後學余家泉奮美珂謹橅原本上石

222

狙
如

鴞

狕即

青耕

梁渠

羆

駅鵨

三足鼈

闓疏

狟

中山神

詰

獙獙

223

中次十二经

海外南经

海外西经

海外北经

聶耳國

無腎國

焰陰

同邑後學金家焯壽美詞補繪上石

柔利國

一目國

北方禺彊

跂踵國

相柳

227

海外东经

海内南经

海内西经

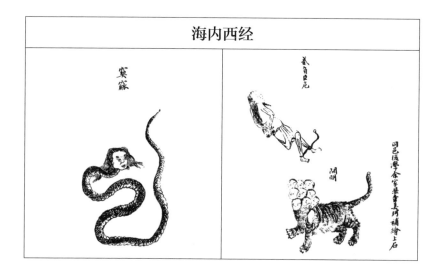

229

海内北经

海内东经

230

大荒东经

232

大荒西经

233

大荒北经

海内经

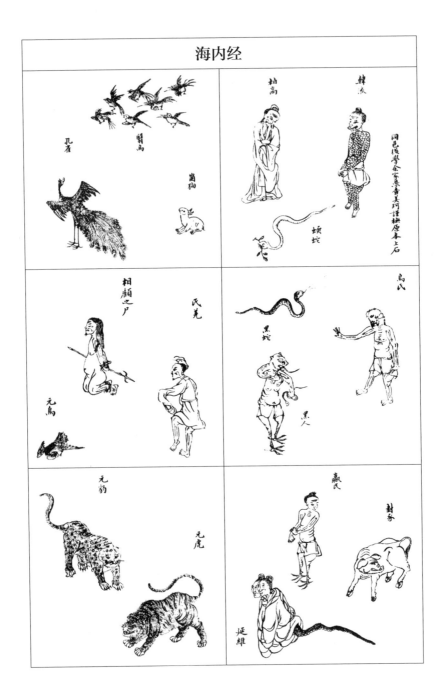

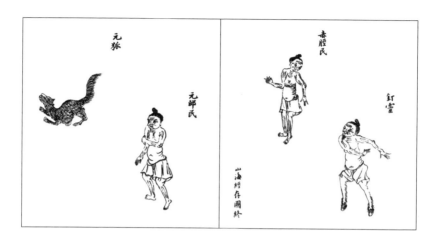

元狄

元邱氏

赤脛民

釘靈

山海經存圖終

237

山海经图赞

［晋］郭　璞

南山经

桂

桂生南裔，枝华岑岭。

广莫熙葩，凌霜津颖。

气王百药，森然云挺。

狌狌

狌狌似猴，走立行伏。

懷木挺力，少辛明目。

飞廉迅足，岂食斯肉？

迷穀

爰有奇树，产自招摇。

厥华流光，上映垂霄。

佩之不惑，潜有灵标。

水玉

水玉沐浴，潜映洞渊。

赤松是服，灵蜕乘烟。

吐纳六气，升降九天。

白猿

白猿肆巧，由基抚弓。

应昒而号，神有先中。

数如循环，其妙无穷。

狰狚

狰狚似羊，眼反在背。

视之则奇，推之无怪。

若欲不恐，厥皮可佩。

鹿蜀

鹿蜀之兽，马质虎文。

骧首吟鸣，矫足腾群。

佩其皮毛，子孙如云。

祝荼草

祝荼嘉草，食之不饥。

鸟首蚖尾，其名旋龟。

鹒鹠六足，三翅并翚。

鯥

鱼号曰鯥，处不在水。

厥状如牛，鸟翼蛇尾。

随时隐见，倚乎生死。

灌灌鸟、赤鱬

厥声如呵，厥形如鸠。

佩之辨惑，出自青丘。

赤鱬之状，鱼身人头。

类

类之为兽，一体兼二。

近取诸身，用不假器。

窈窕是佩，不知妒忌。

鹞鸟

彗星横天，鲸鱼死浪。

鹞鸣于邑，贤士见放。

厥理至微，言之无况。

猾裹

猾裹之兽，见则兴役。
膺政而出，匪乱不适。
天下有道，幽形匿迹。

长右、彘

长右四耳，厥状如猴。
实为水祥，见则横流。
彘虎其身，厥尾如牛。

会稽山

禹徂会稽，爰朝群臣。
不虔是讨，乃戮长人。
玉赣表夏，玄石勒秦。

患

有兽无口，其名曰患。
害气不入，厥体无间。
至理之尽，出乎自然。

犀

犀头似猪，形兼牛质。
角则并三，分身互出。
鼓鼻生风，壮气隘溢。

兕

兕推状兽，似牛青黑。
力无不倾，自焚以革。
皮充武备，角助文德。

象

象实魁梧，体巨貌诡。
肉兼十牛，目不逾豕。
望头如尾，动若丘徙。

纂雕、瞿如鸟、虎蛟

纂雕有角，声若儿号。
瞿如三手，厥状似鸡。
鱼身蛇尾，是谓虎蛟。

凤

凤皇灵鸟，实冠羽群。

八象其体，五德其文。

羽翼来仪，应我圣君。

鹛鸟、鲐鱼

鹛鸟栖林，鲐鱼处渊。

俱为旱征，实延普天。

测之无象，厥数推玄。

育隧谷

育隧之谷，爰含凯风。

青阳既谢，气应祝融。

炎雾是扇，以散郁隆。

白䓈

白䓈睾苏，其汁如饴。

食之辟谷，味有余滋。

逍遥忘劳，穷生尽期。

西山经

羬羊

月氏之羊，其类在野。

厥高六尺，尾亦如马。

何以审之？事见《尔雅》。

肥遗

肥遗为物，与灾合契。

鼓翼阳山，以表元厉。

桑林既祷，倏忽潜逝。

太华山

华岳灵峻，削成四方。

爰有神女，是挹玉浆。

其谁由之？龙驾云裳。

蛄渠、赤鷩鸟、文茎木、鸱鸟

蛄渠已殃，赤鷩辟火。

文茎愈聋，是则嘉果。

鸱亦卫灾，厥形惟么。

241

流赭

沙则潜流，亦有运赭。
于以求铁，趋在其下。
蠾牛之疠，作采千社。

桃枝

嶓冢美竹，厥号桃枝。
丛薄幽蔼，从容郁猗。
簟以安寝，杖以扶危。

豪彘

刚鬣之族，号曰豪彘。
毛如攒锥，中有激矢。
厥体兼资，自为牝牡。

杜衡

狌狌犨人，杜衡走马。
理固须因，体亦有假。
足骏在感，安事御者！

黄雚草、肥遗鸟、𤡪兽

浴疾之草，厥子赭赤。
肥遗似鹑，其肉已疫。
𤡪兽长臂，为物好掷。

菁容草、边溪兽、栎鸟

有华无实，菁容之树。
边溪类狗，皮厌妖蛊。
黑文赤翁，鸟愈隐痔。

橐蜚

有鸟人面，一脚孤立。
性与时反，冬出夏蛰。
带其羽毛，迅雷不入。

礜石

禀气方殊，件错理微。
礜石杀鼠，蚕食而肥。
厥性虽反，齐之一归。

玃如

玃如之兽，鹿状四角。
马足人手，其尾则白。
貌兼三形，攀木缘石。

凫徯鸟、朱厌兽

凫徯朱厌，见则有兵。
类异感同，理不虚行。
推之自然，厥数难明。

鹦䳇

鹦䳇慧鸟，栖林喙桑。
四指中分，行则以觜。
自贻伊笼，见幽坐趾。

蛮蛮

比翼之鸟，似凫青赤。
虽云一形，气同体隔。
延颈离鸟，翻飞合翮。

数斯鸟、犨兽、鸓鸟

数斯人脚，厥状似鸱。
犨兽大眼。有鸟名鸓，
两头四足，翔若合飞。

丹木、玉膏

丹木炜炜，沸沸玉膏。
黄轩是服，遂攀龙豪。
眇然升遐，群下乌号。

鸾鸟

鸾翔女床，凤出丹穴。
拊翼相和，以应圣哲。
击石靡咏，韶音其绝。

瑾瑜玉

钟山之宝，爰有玉华。
符彩流映，气如虹霞。
君子是佩，象德闲邪。

钟山之子鼓、钦鹅

钦鹅及鼓，是杀祖江。
帝乃戮之，昆仑之东。
二子皆化，矫翼亦同。

鳐鱼

见则邑穰，厥名曰鳐。
经营二海，矫翼闲霄。
唯昧之奇，见叹伊庖。

神英招

槐江之山，英招是主。
巡游四海，抚翼云儛。
实惟帝囿，是谓玄圃。

榣木

榣惟灵树，爰生若木。
重根增驾，流光旁烛。
食之灵化，荣名仙录。

昆仑丘

昆仑月精，水之灵府。
惟帝下都，西姥之宇。
嵘然中峙，号曰天柱。

神陆吾

肩吾得一，以处昆仑。
开明是对，司帝之门。
吐纳灵气，熊熊魂魂。

土蝼兽、钦原鸟

土蝼食人，四角似羊。
钦原类蜂，大如鸳鸯。
触物则毙，其锐难当。

沙棠

安得沙棠，制为龙舟？
泛彼沧海，眇然遐游。
聊以逍遥，任彼去留。

鹑鸟、沙棠实、蕫草

司帝百服，其鸟名鹑。

沙棠之实，惟果是珍。

爰有奇菜，厥号曰蕫。

白帝少昊

少昊之帝，号曰金天。

魂氏之宫，亦在此石。

是司日入，其景则员。

神长乘

九德之气，是生长乘。

人状豹尾，其神则凝。

妙物自潜，世无得称。

狰

章莪之山，奇怪所宅。

有兽似豹，厥色惟赤。

五尾一角，鸣如击石。

西王母

天帝之女，蓬发虎颜。

穆王执贽，赋诗交欢。

韵外之事，难以具言。

毕方

毕方赤文，离精是炳。

旱则高翔，鼓翼阳景。

集乃灾流，火不炎正。

积石

积石之中，实出重河。

夏后是导，石门涌波。

珍物斯备，比奇昆阿。

文贝

先民有作，龟贝为货。

贝以文彩，贾以小大。

简则易从，犯而不过。

天狗

乾麻不长，天狗不大。

厥质虽小，攘灾除害。

气之相生，在乎食带。

帝江

质则混沌，神则旁通。

自然灵照，听不以聪。

强为之名，曰在帝江。

三青鸟

山名三危，青鸟所解。

往来昆仑，王母是隶。

穆王西征，旋轸斯地。

鹁鸰、獂兽

鹁鸰三头，獂兽三尾。

俱御不祥，消凶辟眯。

君子服之，不逢不趚。

江疑、獭狐兽、鸺鸟

江疑所居，风云是潜。

兽有獭狐，毛如披蓑。

鸺鸟一头，厥身则兼。

当扈

鸟飞以翼，当扈则须。

废多任少，沛然有余。

轮运于毂，至用在无。

神耆童

颛顼之子，嗣作火正。

铿锵其鸣，声如钟磬。

处于魍山，唯灵之盛。

白狼

矫矫白狼，有道则游。

应符变质，乃衔灵钩。

惟德是适，出殷见周。

246

白虎

魋魋之虎，仁而有猛。

其质载皓，其文载炳。

应德而櫻，止我交境。

鸟鼠同穴山

鸰鼹二虫，殊类同归。

聚不以方，或走或飞。

不然之然，难以理推。

驳

驳惟马类，实畜之英。

腾髦骧首，嘘天雷鸣。

气无冯凌，吞虎辟兵。

鳌鮧鱼

形如覆铫，包玉含珠。

有而不积，泄以尾闾。

阖与道会，可谓奇鱼。

神魁、蛮蛮、髯遗鱼

其音如吟，一脚人面。

鼠身鳖头，厥号曰蛮。

目如马耳，食厌妖变。

丹木

爰有丹木，生彼洧盘。

厥实如瓜，其味甘酸。

蠲痫辟火，用奇桂兰。

櫰木

櫰之为木，厥形似梓。

若能长服，披树排山。

力则有之，寿则宜然。

穷奇兽、羸鱼、孰湖兽

穷奇如牛，猬毛自表。

濛水之羸，匪鱼伊鸟。

孰湖之兽，见人则抱。

鳐鱼

物以感应，亦有数动。
壮士挺剑，气激白虹。
鳐鱼潜渊，出则邑悚。

北山经

水马

马实龙精，爰出水类。
渥洼之骏，是灵是瑞。
昔在夏后，亦有何骃？

孟槐

孟槐似貆，其豪则赤。
列象畏兽，凶邪是辟。
气之相胜，莫见其迹。

儵鱼

涸和损平，莫惨于忧。
诗咏萱草，带山则儵。
鋻焉遗忲，聊以盘游。

鳛鳛鱼

鼓翩一挥，十翼翩翻。
厥鸣如鹊，鳞在羽端。
是谓怪鱼，食之辟燔。

朏朏兽、鹠鸰鸟、何罗鱼

厌火之兽，厥名朏朏。
有鸟自化，号曰鹠鸰。
一头十身，何罗之鱼。

橐驼

驼惟奇畜，肉鞍是被。
迅骛流沙，显功绝地。
潜识泉源，微乎其智。

耳鼠

蹠实以足，排虚以羽。

翘尾翻飞，奇哉耳鼠。

厥皮惟良，百毒是御。

诸犍兽、白鹩、竦斯鸟

诸犍善吒，行则衔尾。

白鹩竦斯，厥状如雉。

见人则跳，头文如绣。

幽颈

幽颈似猴，俾愚作智。

触物则笑，见人佯睡。

好用小慧，终是婴系。

磁石

磁石吸铁，瑇瑁取芥。

气有潜感，数亦冥会。

物之相投，出乎意料。

寓鸟、孟极、足訾兽

鼠而傅翼，厥声如羊。

孟极似豹，或倚无良。

见人则呼，号曰足訾。

旄牛

牛充兵机，兼之者旄。

冠于旌鼓，为军之标。

匪肉致灾，亦毛之招。

鸡鸟

毛如雌雉，朋翔群下。

飞则笼日，集则蔽野。

肉验针石，不劳补写。

长蛇

长蛇百寻，厥鬣如彘。

飞群走类，靡不吞噬。

极物之恶，尽毒之厉。

山猈

山猈之兽，见人欢谑。

厥性善投，行如矢激。

是惟气精，出则风作。

狌、闲、骄马、独狢

有兽如豹，厥文惟缛。

闲善跃险，骄马一角。

虎状马尾，号曰独狢。

窫窳、诸怀兽、鮮鱼、肥遗蛇

窫窳诸怀，是则害人。

鮮之为状，羊鳞黑文。

肥遗之蛇，一头两身。

鸳鹃

御暍之鸟，厥名鸳鹃。

昏明是互，昼隐夜觌。

物贵应用，安事鸾鹄！

鲞鱼

阳鉴动日，土蛇致宵。

微哉鲞鱼，食则不骄。

物在所感，其用无标。

居暨兽、䎘鸟、三桑

居暨豚鸣，如彙赤毛。

四翼一目，其名曰䎘。

三桑无枝，厥树唯高。

狍鸮

狍鸮贪惏，其目在腋。

食人未尽，还自龈割。

图形妙鼎，是谓不若。

驿

驿兽四角，马尾有距。

涉历归山，腾险跃岨。

厥貌惟奇，如是旋舞。

250

天马

龙冯云游，腾蛇假雾。
未若天马，自然凌骞。
有理悬运，天机潜御。

酸与

景山有鸟，禀形殊类。
厥状如蛇，脚二翼四。
见则邑恐，食之不醉。

鸀居

鸀居如乌，青身黄足。
食之不饥，可以辟谷。
内厥惟珍，配彼丹木。

鸹鹃、黄鸟

鸹鹃之鸟，食之不瞧。
爰有黄鸟，其鸣自叫。
妇人是服，矫情易操。

飞鼠

或以尾翔，或以髯凌。
飞鼠鼓翰，翛然背腾。
用无常所，惟神是冯。

精卫

炎帝之女，化为精卫。
沈所东海，灵爽西迈。
乃衔木石，以堙波海。

鹦鹉、象蛇鸟、鲭父鱼

有鸟善惊，名曰鹦鹉。
象蛇似雉，自生子孙。
鲭父鱼首，厥体如豚。

辣辣、罴九兽、大蛇

辣辣似羊，眼在耳后。
窍生尾上，号曰罴九。
幽都之山，大蛇牛呴。

251

东山经

鱐鱐鱼、从从兽、蚩鼠

鱼号鱐鱐,如牛虎鲛。

从从之状,似狗六脚。

蚩鼠如鸡,见则旱涸。

珠鳖鱼

澧水之鲜,形如浮肺。

体兼三才,以货贾害。

厥用既多,何以自卫?

鯈鳙

鯈鳙蛇状,振翼洒光。

凭波腾逝,出入江湘。

见则岁旱,是维火祥。

犰狳

犰狳之兽,见人佯眠。

与灾协气,出则无年。

此岂能为,归之于天。

狪狪

蚌则含珠,兽胡不可?

狪狪如豚,被褐怀祸。

患难无由,招之自我。

狸力兽、鴸胡鸟

狸力鴸胡,或飞或伏。

是惟土祥,出兴功筑。

长城之役,同集秦域。

堪㻌鱼、䌸䌸兽

堪㻌䌸䌸,殊气同占。

见则淇水,天下昏垫。

岂伊妄降,亦应牒谶。

朱獳

朱獳无奇,见则邑骇。

通感靡诚,维数所在。

因事而作,未始无待。

獙獙、蜚蜮兽、絜钩鸟

獙獙如狐，有翼不飞。

九尾虎爪，号曰蜚蜮。

絜钩似凫，见则民悲。

猲狙、妡雀

猲狙狡兽，妡雀恶鸟。

或狼其体，或虎其爪。

安用甲兵？扰之以道。

袚袚

治在得贤，亡由夫人。

袚袚之来，乃致狡宾。

归之冥应，谁见其津？

苣木

马维刚骏，涂之苣汁。

不劳孙阳，自然闲习。

厥术无方，理有潜执。

蠵龟

水圆四十，潜源溢沸。

灵龟爱处，掉尾养气。

庄生是感，挥竿傲贵。

茈鱼、薄鱼

有鱼十身，藄芜其臭。

食之和体，气不下溜。

薄之跃渊，是维灾候。

媭胡、精精兽、鮯鮯鱼

媭胡之状，似麇鱼眼。

精精如牛，以尾自辨。

鮯鮯所潜，厥深无限。

合窳

猪身人面，号曰合窳。

厥性贪残，物为不咀。

至阴之精，见则水雨。

253

当康、鳛鱼

当康如豚，见则岁穰。
鳛鱼鸟翼，飞乃流光。
同出殊应，或灾或祥。

蜚

蜚则灾兽，跂踵厉深。
会所经涉，竭水槁林。
禀气自然，体此殃淫。

中山经

桃林

桃林之谷，实惟塞野。
武王克商，休牛风马。
陆越三涂，作险西夏。

帝台棋

茫茫帝台，维灵之贵。
爰有石棋，五彩焕蔚。
筋祷百神，以和天气。

鸣石

金石同类，潜响是韫。
击之雷骇，厥声远闻。
苟以数通，气无不运。

若华鸟、酸草

疗痤之草，厥实如瓜。
鸟酸之叶，三成黄华。
可以为毒，不畏蚖蛇。

旋龟、人鱼、脩辟

声如破木，号曰旋龟。
脩辟似鼍，厥鸣如鸥。
人鱼类鳒，出于洛伊。

蓇草

蓇草黄华，实如菟丝。
君子是佩，人服媚之。
帝女所化，其理难思。

山膏、黄棘

山膏如豚，厥性好笃。

黄棘是食，匪子匪化。

虽无贞操，理同不嫁。

帝休

帝休之树，厥枝交对。

竦本少室，曾阴云霭。

君子服之，匪怒伊爱。

三足龟

造物维均，靡偏靡颇。

少不为短，长不为多。

贲能三足，何异鼋鼍？

泰室

嵩维岳宗，华岱恒衡。

气通元漠，神洞幽明。

嵬然中立，众山之英。

嘉荣

霆维天精，动心骇日。

曷以御之？嘉荣是服。

所正者神，用口肠腹。

栯木

爰有嘉树，厥名曰栯。

薄言采之，窈窕是服。

君子惟欢，家无反目。

天楄、牛伤、文兽、䲞鱼

牛伤镇气，天楄弭噎。

文兽如蜂，枝尾反舌。

䲞鱼青斑，处于遾穴。

芮草

芮草赤茎，实如蘡薁。

食之益智，忽不自觉。

殆齐生知，功奇于学。

鹖鸟

鹖之为鸟，同群相为。

畴类被侵，虽死不避。

毛饰武士，兼厉以义。

神武罗

有神武罗，细腰白齿。

声如鸣佩，以镱贯耳。

司帝密都，是宜女子。

鸣蛇、化蛇

鸣化二蛇，同类异状。

拂翼俱游，腾波漂浪。

见则并灾，或淫或亢。

鹦鸟

鹦鸟似凫，翠羽朱目。

既丽其形，亦奇其肉。

妇女是食，子孙繁育。

赤铜

昆吾之山，名铜所在。

切玉如泥，火炙有彩。

尸子所叹，验之彼宰。

荀草

荀草赤实，厥状如菅。

妇人服之，练色易颜。

夏姬是艳，厥媚三还。

神熏池

泰逢虎尾，武罗人面。

熏池三神，厥状不见。

爰有美玉，河林如蒨。

马腹兽、飞鱼

马腹之物，人面似虎。

飞鱼如豚，赤文无羽。

食之辟兵，不畏雷鼓。

神泰逢

神号泰逢，好游山阳。

濯足九州，出入流光。

天气是动，孔甲迷惶。

鲛鱼

鱼之别属，厥号曰鲛。

珠皮毒尾，匪鳞匪毛。

可以错角，兼饰剑刀。

萮柏

萮柏白华，厥子如丹。

实肥变气，食之忘寒。

物随所染，墨子所叹。

鸩鸟

蝮维毒魁，鸩鸟是噉。

拂翼鸣林，草瘁木惨。

羽行隐戮，厥罚难犯。

橘、櫾

厥苞橘櫾，奇者维甘。

朱实金鲜，叶蒨翠蓝。

灵均是咏，以为美谈。

椒

椒之灌殖，实繁有伦。

拂颖沾霜，朱实芬辛。

服之洞见，可以通神。

猨

大瑰之山，爰有苹草。

青华白实，食之无夭。

虽不增龄，可以穷老。

神蛊围、计蒙、涉蛊

涉蛊三脚，蛊围虎爪。

计蒙龙首，独禀异表。

升降风雨，茫茫渺渺。

257

岷山

岷山之精，上络东井。
始出一勺，终致森冥。
作纪南夏，天清地静。

蜼

寓属之才，莫过于蜼。
雨则自悬，塞鼻以尾。
厥形虽随，列象宗彝。

夔牛

西南巨牛，出自江岷。
体若垂云，肉盈千钧。
虽有逸力，难以挥轮。

熊穴

熊山有穴，神人是出。
与彼石鼓，象殊应一。
祥虽先见，厥事非吉。

崍山

邛崍峻险，其坂九折。
王阳逡巡，王遵逴节。
殷有三仁，汉称二哲。

跂踵

青耕御疫，跂踵降灾。
物之相反，各以气来。
见则民咨，实为病媒。

狚狼、雍和、狋兽

狚狼之出，兵不外击。
雍和作恐，狋乃流疫。
同恶殊灾，气各有适。

蛟

匪蛇匪龙，鳞彩炳焕。
腾跃波涛，蜿蜒江汉。
汉武饮羽，砍飞叠断。

神耕父

清泠之水，在乎山顶。
耕父是游，流光洒景。
黔首祀祟，以弭灾眚。

帝台浆

帝台之水，饮鹕心病。
灵府是涤，和神养性。
食可逍遥，濯发浴泳。

九钟

峣崩泾竭，麟斗日薄。
九钟将鸣，凌霜乃落。
气之相应，触感而作。

狙如

狙如微虫，厥体无害。
见则师兴，两阵交会。
物之所感，焉有小大！

婴勺

支离之山，有鸟似鹊。
白身赤眼，厥尾如勺。
维彼有斗，不可以酌。

帝女桑

爰有洪桑，生淒沧潭。
厥围五丈，枝相交参。
园客是采，帝女所蚕。

獜

有兽虎爪，厥号曰獜。
好自跳扑，鼓甲振奋。
若食其肉，不觉风迅。

梁渠、狚即、闻獜兽、鵸䳜鸟

梁渠致兵，狚即起灾。
鵸䳜辟火，物各有能。
闻獜之见，大风乃来。

神于兒

于兒如人，蛇头有两。
常游江渊，见于洞广。
乍潜乍出，神光忽恍。

飞蛇

腾蛇配龙，因雾而跃。
虽欲登天，云罢陆略。
仗非启体，难以云托。

神二女

神之二女，爰宅洞庭。
游化五江，惚恍窈冥。
号曰夫人，是维湘灵。

海外南经

自此山来，虫为蛇，蛇号为鱼

贱无定贡，贵无常珍。
物不自物，自物由人。
万事皆然，岂伊蛇鳞！

神人二八

羽民之东，有神司夜。
二八连臂，自相羁驾。
昼隐宵出，诡时沦化。

羽民国

鸟喙长颊，羽生则卵。
矫翼而翔，龙飞不远。
人维倮属，何状之反？

讙头国

讙头鸟喙，行则杖羽。
潜于海滨，维食杞秬。
实维嘉谷，所谓濡黍。

厌火国

有人兽体，厥状怪谲。

吐纳炎精，火随气烈。

推之无奇，理有不热。

不死国

有人爰处，员丘之上。

赤泉驻年，神木养命。

禀此遐龄，悠悠无竟。

三珠树

三珠所生，赤之之际。

翘叶柏疏，美壮若彗。

濯彩丹波，自相霞映。

凿齿

凿齿人类，实有杰牙。

猛越九婴，害过长蛇。

尧乃命羿，毙之寿华。

载国

不蚕不丝，不稼不穑。

百兽率儛，群鸟拊翼。

是号载民，自然衣食。

三首国

虽云一气，呼吸异道。

观则俱见，食则皆饱。

物形自周，造化非巧。

贯匈、交胫、支舌国

铄金洪炉，洒成万品。

造物无私，各任所禀。

归于曲成，是见兆朕。

焦侥国

群籁舛吹，气有万殊。

大人三丈，焦侥尺余。

混之一归，此亦侨如。

长臂国

双肱三尺，体如中人。
彼曷为者？长臂之民。
修脚自负，捕鱼海滨。

视肉

聚肉有眼，而无肠胃。
与彼马勃，颇相仿佛。
奇在不尽，食人薄味。

狄山，帝尧葬于阳，帝喾葬于阴

圣德广被，物无不怀。
爰乃殂落，封墓表哀。
异类犹然，矧乃华黎。

南方祝融

祝融火神，云驾龙骖。
气御朱明，正阳是含。
作配炎帝，列位千南。

海外西经

夏后启

筮御飞龙，果儛《九代》。
云翮是挥，玉璜是佩。
对扬帝德，禀天灵海。

奇肱国

妙哉工巧，奇肱之人。
因风构思，制为飞轮。
凌颓遂轨，帝汤是宾。

三身国、一臂国

品物流形，以散混沌。
增不为多，减不为损。
厥变难原，请寻其本。

形夭

争神不胜，为帝所戮。
遂厥形夭，脐口乳目。
仍挥干戚，虽化不服。

女祭、女戚

彼姝者子，谁氏二女？
曷为水间，操鱼持俎？
厥俪安在，离群逸处？

巫咸

群有十巫，巫咸所统。
经技是搜，术艺是综。
采药灵山，随时登降。

鸾鸟、鹪鸟

有鸟青黄，号曰鹪鸾。
与妖会合，所集会至。
类则枭鹎，厥状难媚。

并封

龙过无头，并封连载。
物状相乖，如骥分背。
数得自通，寻之愈阂。

丈夫国

阴有偏化，阳无产理。
丈夫之国，王孟是始。
感灵所通，桑石无子。

女子国

简狄有吞，姜嫄有履。
女子之国，浴于黄水。
乃娠乃字，生男则死。

女丑尸

十日并燠，女丑以毙。
暴于山阿，挥袖自翳。
彼美谁子，逢天之厉？

轩辕国

轩辕之人，承天之祐。
冬不袭衣，夏不扇暑。
犹气之和，家为彭祖。

乘黄

飞黄奇骏，乘之难老。

揣角轻腾，忽若龙矫。

实鉴有德，乃集厥皂。

龙鱼

龙鱼一角，似狸处陵。

俟时而出，神圣攸乘。

飞骛九域，乘龙上升。

灭蒙鸟、大运山、雄常树

青质赤尾，号曰灭蒙。

大运之山，百仞三重。

雄常之树，应德而通。

西方蓐收

蓐收金神，白毛虎爪。

珥蛇执钺，专司无道。

立号西阿，恭行天讨。

海外北经

无脊国

万物相传，非子则根。

无脊因心，构肉生魂。

所以能然，尊形者存。

一目国

苍四不多，此一不少。

子野冥瞽，洞见无表。

形游逆旅，所贵维眇。

烛龙

天缺西北，龙冲火精。

气为寒暑，眼作昏明。

身长千里，可谓至神。

柔利国

柔利之人，曲脚反肘。

子求之容，方此无丑。

所贵者神，形于何有！

共工臣相柳

共工之臣，号曰相柳。
禀此奇表，蛇身九首。
恃力桀暴，终禽夏后。

寻木

渺渺寻木，生于河边。
疏枝千里，上干云天。
垂阴四极，下盖虞渊。

深目国

深目类胡，但口绝缩。
轩辕道降，款塞归服。
穿胸长脚，同会异族。

跂踵国

厥形虽大，斯脚则企。
跳步雀踊，踵不阂地。
应德而臻，款塞归义。

聂耳国

聂耳之国，海渚是县。
雕虎斯使，奇物毕见。
形有相须，手不离面。

欧丝野

女子鲛人，体近蚕蚌。
出珠非甲，吐丝匪蛹。
化出无方，物岂有种！

夸父

神哉夸父，难以理寻。
倾河逐日，遁形邓林。
触类而化，应无常心。

无肠国

无肠之人，厥体维洞。
心实灵府，余则外用。
得一自全，理无不共。

平丘

两山之间，丘号曰平。

爰有遗玉，骏马维青。

视肉甘华，奇果所生。

北方禺彊

禺彊水神，面色黧黑。

乘龙践蛇，凌云附翼。

灵一玄冥，立于北极。

騊駼

騊駼野骏，产自北域。

交颈相摩，分背翘陆。

虽有孙阳，终不能服。

海外东经

君子国

东方气仁，国有君子。

薰华是食，雕虎是使。

雅好礼让，礼委论理。

九尾狐

青丘奇兽，九尾之狐。

有道翔见，出则衔书。

作瑞周文，以标灵符。

天吴

眈眈水伯，号曰谷神。

八头十尾，人面虎身。

龙据两川，威无不震。

竖亥

禹命竖亥，青丘之北。

东尽太远，西穷邻国。

步履宇宙，以明灵德。

十日

十日并出，草木焦枯。

羿乃控弦，仰落阳乌。

可谓洞感，天人悬符。

黑齿国、雨师妾、玄股国、劳民国

阳谷之山，国号黑齿。

雨师之妾，以蛇挂耳。

玄股食躯，劳民黑趾。

毛民国

牢悲海鸟，西子骇麋。

或贵穴倮，或尊裳衣。

物我相倾，孰了是非？

东方句芒

有神人面，身鸟素服。

衔帝之命，锡龄秦穆。

皇天无亲，行善有福。

海内南经

枭阳

髯髯怪兽，被发操竹。

获人则笑，唇蔽其目。

终亦号咷，反为我戮。

夏后启臣孟涂

孟涂司巴，听讼是非。

厥理有曲，血乃见衣。

所请灵断，呜呼神微！

狌狌

狌狌之状，形乍如犬。

厥性识往，为物警辩。

以酒招灾，自贻缨罥。

建木

爰有建木，黄实紫柯。

皮如蛇缨，叶有素罗。

绝荫弱水，义人则过。

氐人

炎帝之苗，实生氐人。

死则复苏，厥身为鳞。

云雨是托，浮游天津。

巴蛇

象实巨兽，有蛇吞之。

越出其骨，三年为期。

厥大何如？屈生是疑。

海内西经

贰负臣危

汉击磐石，其中则危。

刘生是识，群臣莫知。

可谓博物，出海乃奇。

流沙

天限内外，分以流沙。

经带西极，颓唐委蛇。

注于黑水，永溺余波。

流黄酆氏国

城围三百，连阿比栋。

动是尘昏，烝气雾重。

焉得游之，以敖以纵？

木禾

昆仑之阳，鸿鹭之阿。

爱有嘉谷，号曰木禾。

匪植匪艺，自然灵播。

大泽方百里

地号积羽，厥方百里。

群鸟云集，鼓翅雷起。

穆王旋轸，爱荣骤耳。

开明

开明天兽，禀兹金精。

虎身人面，表此桀形。

瞪视昆山，威慑百灵。

文玉、玗琪树

文玉玗琪，方以类丛。
翠叶猗萎，丹柯玲珑。
玉光争焕，彩艳火龙。

窫窳

窫窳无罪，见害贰负。
帝命群巫，操药夹守。
遂沦溺渊，变为龙首。

不死树

万物暂见，人生如寄。
不死之树，寿蔽天地。
请药西姥，乌得如羿！

服常、琅玕树

服常琅玕，昆山奇树。
丹实珠离，绿叶碧布。
三头是伺，递望递顾。

甘水、圣木

醴泉璿木，养龄尽性。
增气之和，祛神之冥。
何必生知，然后为圣？

海内北经

吉良

金精朱鬣，龙行骏跱。
拾节鸿骛，尘下及起。
是谓吉黄，释圣牖里。

蛇巫山、鬼神、蜪犬、群帝台、大蜂、朱蛾

蛇巫之山，有人操杯。
鬼神蜪犬，主为妖灾。
大蜂朱蛾，群帝之台。

阖非、据比尸、袜、戎

人面兽身，是谓阖非。

被发折颈，据比之尸。

戎三其角，袜竖其眉。

宵明、烛光

水有佳人，宵明烛光。

流耀河湄，禀此奇祥。

维舜二女，别处一方。

驺虞

怪兽五彩，尾参于身。

矫足千里，倏忽若神。

是谓驺虞，诗叹其仁。

列姑射山、大蟹、陵鱼

姑射之山，实有神人。

大蟹千里，亦有陵鳞。

旷哉溟海，含怪藏珍。

冰夷

禀华之精，练食八石。

乘龙隐沦，往来海若。

是谓水仙，号曰河伯。

蓬莱山

蓬莱之山，玉碧构林。

金台云馆，高哉兽禽。

实维灵府，玉主甘心。

王子夜尸

子夜之尸，体分成七。

离不为疏，合不为密。

苟以神御，形归于一。

海内东经

郁州

南极之山，越处东海。

不行而至，不动而改。

维神所运，物无常在。

韩雁、始鸠、雷泽神、琅邪台

韩雁始鸠，在海之州。

雷泽之神，鼓腹优游。

琅邪嶕峣，邈若云楼。

竖沙、居繇、埻端、玺晓国

竖沙居繇，埻端玺晓。

沙漠之乡，绝地之馆。

或羁于秦，或宾于汉。

大江、北江、南江、浙江、庐、淮、湘、汉、濛、温、颖、汝、泾、渭、白、沅、赣、泗、郁、肄、潢、洛、汾、沁、济、潦、虖池、漳水

川渎交错，涣澜流带。

通潜润下，经营华外。

殊出同归，混之东会。

大荒东经

诤人国（残文）

僬侥极么，诤人又小。

四体取足，眉目才了。

九尾狐

青丘奇兽，九尾之狐。

有道祥见，出则衔书。

作瑞周文，以标灵符。

大荒南经（缺）

大荒西经

弱水

弱出昆山，鸿毛是沈。

北沦流沙，南映火林。

惟水之奇，莫测其深。

炎火山

木含阳气，精构则然。

焚之无尽，是生火山。

理见乎微，其妙在传。

大荒北经

若木

若木之生，昆山是滨。

朱华电照，碧叶玉津。

食之灵智，为力为仁。

封豕

有物贪婪，号曰封豕。

荐食无厌，肆其残毁。

羿乃饮羽，献帝效技。

海内经（缺，下为残文）

玉赣表夏　　　　　头文如绣

厥号曰蛮　　　　　瑇瑁取芥

亦有数动　　　　　畸类被侵

涸和损乎　　　　　员丘之上

鼓翻一挥，十翼翩翻

读《山海经》十三首

［晋］陶渊明

其一

孟夏草木长，绕屋树扶疏。

众鸟欣有托，吾亦爱吾庐。

既耕亦已种，时还读我书。

穷巷隔深辙，颇回故人车。

欢然酌春酒，摘我园中蔬。

微雨从东来，好风与之俱。

泛览《周王传》，流观《山海图》。

俯仰终宇宙，不乐复何如。

其二

玉台凌霞秀，王母怡妙颜。

天地共俱生，不知几何年。

灵化无穷已，馆宇非一山。

高酣发新谣，宁效俗中言？

其三

迢递槐江岭，是为玄圃丘。

西南望昆墟，光气难与俦。

亭亭明玕照，洛洛清瑶流。

恨不及周穆，托乘一来游。

其四

丹木生何许?乃在峚山阳。

黄花复朱实,食之寿命长。

白玉凝素液,瑾瑜发奇光。

岂伊君子宝,见重我轩黄。

其五

翩翩三青鸟，毛色奇可怜。

朝为王母使，暮归三危山。

我欲因此鸟，具向王母言:

在世无所须，惟酒与长年。

其六

逍遥芜皋上，杳然望扶木。

洪柯百万寻，森散复旸谷。

灵人侍丹池，朝朝为日浴。

神景一登天，何幽不见烛!

其七

粲粲三珠树，寄生赤水阴。

亭亭凌风桂，八干共成林。

灵凤抚云舞，神鸾调玉音。

虽非世上宝，爱得王母心。

其八

自古皆有没，何人得灵长？

不死复不老，万岁如平常。

赤泉给我饮，员丘足我粮。

方与三辰游，寿考岂渠央！

其九

夸父诞宏志，乃与日竞走。

俱至虞渊下，似若无胜负。

神力既殊妙，倾河焉足有？

余迹寄邓林，功竟在身后。

其十

精卫衔微木，将以填沧海。

刑天舞干戚，猛志固常在。

同物既无虑，化去不复悔。

徒设在昔心，良辰讵可待！

其十一

巨猾肆威暴，钦㲥违帝旨。

窫窳强能变，祖江遂独死。

明明上天鉴，为恶不可履。

长枯固已剧，鹓鹗岂足恃？

其十二

鸱鴸见城邑，其国有放士。

念彼怀王世，当时数来止。

青丘有奇鸟，自言独见尔。

本为迷者生，不以喻君子！

其十三

岩岩显朝市，帝者慎用才。

何以废共鲧，重华为之来。

仲父献诚言，姜公乃见猜。

临没告饥渴，当复何及哉！

图书在版编目（CIP）数据

山海经 /（战国）佚名著；何中夏注释. —杭州：浙江
文艺出版社，2023.8
ISBN 978-7-5339-7264-6

I.①山… Ⅱ.①佚… ②何… Ⅲ.①历史地理—中国
—古代②《山海经》—注释③《山海经》—译文 Ⅳ.①
K928.631

中国国家版本馆 CIP 数据核字（2023）第 108250 号

选题策划　柳明晔
责任编辑　邵　劼
装帧设计　人马艺术设计·储平
责任印制　吴春娟
营销编辑　宋佳音
数字编辑　姜梦由　诸婧琦

山海经

[战国] 佚名 著　何中夏 注释

出　　版　浙江文艺出版社
地　　址　杭州市体育场路 347 号
邮　　编　310006
电　　话　0571-85176953（总编办）
　　　　　0571-85152727（市场部）
制　　版　杭州天一图文制作有限公司
印　　刷　浙江海虹彩色印务有限公司
本　710 毫米 × 1000 毫米　1/16
数　225 千字
张　18.75
页　11
次　2023 年 8 月第 1 版
次　2023 年 8 月第 1 次印刷
书　号　ISBN 978-7-5339-7264-6
定　68.00 元